8,20€

CW00552125

Coleção «Uma Aventura» — volumes publicados:

a publicar:

Ana Maria Magalhães
Isabel Alçada

no Palácio da Pena

Ilustrações de
Arlindo Fagundes

CAMINHO

17.ª edição

Título: Uma Aventura no Palácio da Pena
Autoras: Ana Maria Magalhães e Isabel Alçada
© Editorial Caminho – 1990
Ilustrações: Arlindo Fagundes

1.ª edição, 1990
17.ª edição: janeiro de 2019 (reimpressão)
Pré-Impressão: Leya
Tiragem: 2000 exemplares
Impressão e acabamento: Guide – Artes Gráficas, Lda.
Depósito legal n.º 424 431/17
ISBN 978-972-21-0514-9

Editorial Caminho, SA
Uma editora do grupo Leya
Rua Cidade de Córdova, n.º 2
2610-038 Alfragide – Portugal
www.caminho.leya.com
www.leya.com

Aos queridíssimos
Francisco e Gonçalo

Agradecimentos

Para fazer este livro tivemos o apoio de duas pessoas a quem queremos agradecer:

Dr. José Carneiro — Diretor do Palácio
da Pena
Dr.ª Madalena Parreira

Porquê uma aventura
no Palácio da Pena?

Certo dia recebemos um convite do diretor do Palácio da Pena. Gostaria de falar connosco porque tinha um trabalho para nos propor.

Fomos então a Sintra numa tarde de inverno húmida e chuvosa. A serra estava em silêncio e o palácio envolto numa neblina carregada de mistérios! Apeteceu-nos logo escrever sobre aquele lugar. Que tipo de trabalho nos iriam propor? A conversa decorreu num pequeno gabinete de tons suaves, com música de fundo. E o que o diretor queria era muito simples: uma aventura no Palácio da Pena. Porquê? Porque em janeiro, numa linda noite de luar, saíra passeando com a mulher e os filhos. Conversa puxa conversa, falaram de um livro de versos chamado *Luar de Janeiro*, do autor Augusto Gil, e do seu poema mais famoso, «A balada da neve», que antigamente se estudava na escola primária e agora já não se estuda.

A filha no entanto conhecia alguns dos versos porque os tinha lido em *Uma Aventura nas Férias da Páscoa*. O pai debruçou-se sobre a coleção. E, apaixonado como é pelo «seu» palácio, decidiu propor-nos que o déssemos a conhecer aos nossos leitores através de uma aventura.

Aceitámos a proposta, encantadas.

Capítulo 1

Magda

As gémeas iam no banco de trás do carro mas viajavam em silêncio, amuadas. Embora não conversassem, as ideias que corriam pela cabeça de uma eram iguaizinhas às que atravessavam a cabeça da outra.

— Que maçada!

— Detesto levantar-me cedo.

— Bem basta aos dias de semana. Agora ao domingo, francamente!

— Nunca na minha vida fui convidada para almoçar às dez da manhã...

Bom, a verdade é que o convite não tinha sido bem assim. Um cliente do pai acabara de se instalar numa pequena propriedade em Sintra e insistira para que fossem lá almoçar pedindo que chegassem cedo para ter tempo de mostrar a casa, o jardim e as estufas em pormenor. A refeição seria antes da uma hora porque à tarde havia um programa-surpresa.

A perspetiva de passar um domingo diferente agradara imenso aos pais. Quanto às filhas tinham ficado furiosas. Não lhes apetecia nada ir para casa de pessoas que não conheciam e ainda por cima havia um filme excelente na televisão que gostariam de ver com os amigos do costume.

— Bolas! — resmungou Luísa entredentes.
— Odeio estes passeios.

A mãe virou-se para trás.

— O que é que foi?

— Nada, nada! — responderam em coro.

Sabendo perfeitamente que estavam aborrecidas, decidiu tentar animá-las.

— Vão ver que se divertem. A casa parece que é linda, os donos são muito simpáticos e têm coisas giras, originais.

— O quê? — perguntou a Luísa. — Peças de museu?

Cheia de paciência a senhora continuou:

— Eles restauraram uma casa antiga e têm estufas enormes com plantas exóticas...

— Isso vê-se em dez minutos.

— E eu não gosto de estufas.

— Como é que sabes? — interveio o pai, já irritado. — Nunca viste nenhuma!

— Pois não. E passava muito bem sem ver.

Durante alguns instantes ninguém falou. O ambiente estava a tornar-se pesado. E como o diálogo parecia impossível os pais optaram pela via autoritária.

— Quanto a domingos e feriados vocês não se podem queixar. Geralmente saem com os amigos, fazem o que lhes apetece, não é verdade?

Elas não responderam e a mãe concluiu num tom firme:

— Hoje vieram connosco a um almoço e não admito más-criações. Vão ser simpáticas com os donos da casa e com a filha, que aliás é da vossa idade. Estamos entendidos?

Que remédio! Esboçando um meio sorriso limitaram-se a acenar que sim.

Logo adiante o carro fez uma curva apertada e enveredou por um caminho secundário. Os portões estavam abertos de par em par e a casa era de facto linda! Construída em pedra escura com grandes janelas e coberta de trepadeiras em flor parecia a capa de uma revista ou um postal de boas festas. As gémeas olharam para cada cantinho com curiosidade, interesse e gostaram da casa. O mesmo não se pode dizer quanto aos donos! Logo que saíram do carro, deu-se um caso de «antipatia instantânea». Os senhores eram novíssimos e vestiam-se como adolescentes para parecerem ainda mais novos. *Jeans*, ténis, camisolas largas com emblema. Falavam pelos cotovelos e, tal como elas esperavam, fizeram as observações habituais.

— Ai as vossas gémeas, que amor!

— Que giras!

— Aposto que ninguém as distingue!

— São iguaizinhas, não são?

Teresa e Luísa afivelaram um sorriso amarelo, mas por dentro mordiam a bochecha para não gritarem de fúria.

«Por que será que as pessoas falam de nós como se fôssemos duas bonecas de loiça?», pensava uma.

«Quando sairmos daqui vou propor ao pai que monte uma barraquinha de circo para nos exibir», pensava a outra. «Ao lado da mulher mais gorda do mundo, devíamos fazer um vistão!»

Naquele momento apareceu a filha do casal. De facto era da idade delas mas um pouco mais alta. O cabelo, forte como crina de um cavalo, caía-lhe sobre os ombros tão preto e luzidio que tinha reflexos azuis. Com o nariz polvilhado de sardas e uns olhos verde-água quase transparentes, era sem dúvida muito bonita. Tão bonita como vaidosa. Olhou-as de alto a baixo sem mexer a cabeça e disse apenas:

— Olá. Eu sou a Magda.

Bastante constrangidas foram atrás dela para dentro de casa. Os pais tinham razão, havia imenso que ver. Mas só seria agradável se pudessem andar por ali sozinhas.

Magda devia ser riquíssima pois dispunha de uma sala enorme só para ela com televisão, vídeo, aparelhagem de som, imensas cassetes e compact discos, uma estante com livros e outra com banda desenhada. No entanto, comportava-se como se tudo aquilo fosse perfeitamente vulgar ou até pouco importante. Estendeu-se ao comprido no sofá e suspirou:

— Os domingos são uma neura, não são?

Luísa trocou um olhar rápido com a irmã, antes de se instalar num monte de almofadas e pegar numa revista. Se aquela parva julgava que ia esforçar-se por fazer conversa, enganava-se redondamente! Mas os planos de «greve da fala» foram por água abaixo por um motivo inesperado. Entre as almofadas soou um «Minhau...» e logo após surgiu um gatinho apetitoso, fofo, de olhos oblíquos, que arreganhava os dentes como se quisesse cumprimentá-las.

— Ai que giro! Tens um gatinho! — exclamou a Teresa, tomando-o nos braços. — Como é que se chama?

— Para esse ainda não escolhi nome.

— Porquê? Tens mais?

— Tenho seis. A *Florbela*, que é uma gata siamesa, e os filhotes. Nasceram a semana passada.

Como se tivesse ouvido chamar, *Florbela* transpôs a porta que dava para o jardim e fez uma entrada imponente! Era grande, de pelo lustroso e caminhava devagar, dengosa, altiva. Magda pegou-lhe ao colo e acariciou-lhe o dorso.

— Gosto imenso de felinos. Gatos, tigres, leopardos, panteras, leões, gosto de todos. Acho que são os bichos mais inteligentes que há e adoro vê-los correr na savana! São elegantes, vocês não acham?

«Esta rapariga é parva», pensaram ambas. Mas em voz alta responderam apenas.

— Sim, são bonitos.

Magda não parecia disposta a abandonar o tema tão depressa.

— O ano passado no verão fui com os meus pais a África. Fizemos um safari no Quénia.

Embora não gostassem da companhia, ficaram a morrer de curiosidade, Como seria um safari no Quénia? Teresa não resistiu e perguntou:

— Como é um safari no Quénia?

— E formidável. Ficámos num hotel de luxo, com duas piscinas, uma exterior e outra interior. À noite havia sempre imensas festas com música ao vivo. Adorei!

— Mas e o safari?

— Ai isso era o máximo! Os guias iam-nos buscar antes do nascer do Sol.

— De jipe?

— Sim, vários jipes porque fazíamos parte de um grupo enorme.

— E chegaram mesmo ao pé das feras?

— Claro! Andámos vários dias na selva. Vimos manadas de elefantes, leões a caçarem zebras, macacos, rinocerontes.

— Não tiveste medo?

— Não! Os guias sabem o que fazem. E de resto nessas expedições vão atiradores especiais para o caso de haver problema.

Teresa e Luísa mesmo sem querer tinham-se chegado para o sofá e ouviam-na fascinadas. Que sorte viajar assim por terras longínquas, andar no meio dos animais ferozes! Magda, radiante, embalara a contar a sua história com entusiasmo:

— Houve cenas incríveis! Mas o melhor de tudo foi quando capturaram um leão vivo.

— O quê?

— Sim, os caçadores fizeram uma armadilha com redes e à noite ficámos todos em silêncio no acampamento, à espera. Não calculam como são estranhos os ruídos da selva. Uma pessoa sente-se noutro mundo!

— Como é que apanharam o leão?

— Ele ia a passar, pôs as patas da frente na armadilha e zás!, foi envolvido na rede! Quando se viu preso, soltou rugidos de pôr os cabelos em pé. Aí sim, confesso que tive medo.

— Porquê?

— O leão não estava preso?

Magda endireitou-se, apoiou a mão no ombro da Luísa e continuou a falar. Nos olhos verde-água havia um brilho especial, como se assistisse de novo a uma cena empolgante.

— Vocês não calculam o que é um leão preso numa rede! A força com que se debate, a fúria, os rugidos e nós ali à noite em tendas de pano...

— E os atiradores?

— Estavam lá, mas não queriam matá-lo. O leão tinha sido encomendado para um jardim zoológico do Canadá e, como sabem, eles são exigentíssimos com os animais. Queriam recebê-lo intacto, sem uma beliscadura!

As gémeas, não ousando confessar a sua ignorância acerca das regras dos jardins zoológicos canadianos, fitaram insistentemente a biqueira dos sapatos.

Um assobio alegre veio libertá-las do embaraço. Estava na hora da visita às estufas e depois, almoço. Durante o passeio, verificaram com certo gozo que Magda fazia todo o possível por imitar o andar dos gatos. Os seus gestos nunca eram naturais, mexia-se como se tivesse ensaiado ao espelho cada movimento.

Tanto uma como a outra ansiavam por ficar sozinhas para dizerem mal dela.

Mas o mais interessante ainda estava para vir! Quando se sentaram à mesa Luísa tentou referir-se ao safari para fazer conversa. Mas foi impossível porque, de cada vez que ia a começar, Magda cortava-lhe a palavra e falava de outra coisa completamente diferente.

No espírito das gémeas foi-se insinuando uma dúvida. Seria tudo mentira? Por que não falava das férias em África diante dos pais? Irritadíssimas, decidiram forçá-la a desmascarar-se. Mas como?

Por alturas da sobremesa os adultos embrenharam-se numa discussão política. Berravam todos ao mesmo tempo, interrompiam-se uns aos outros e pareciam até esquecidos da presença das filhas!

Teresa no entanto não desistiu. Quando se levantaram foi lembrando com ar ingénuo:

— Não nos mostraste as fotografias do tal safari. Devem ser giríssimas!

Ela não vacilou e respondeu prontamente:

— Não tenho nem uma. Foi um azar horrível porque tirámos seis rolos e estragaram-se todos. Até chorei de raiva!

As gémeas hesitaram. Seria possível mentir com tanto descaramento? Nos olhos verde-água não havia sombras e Magda sorria feliz.

— Tenho que me ir arranjar — disse. O espetáculo começa às três.

— Qual espetáculo?

— Não sabem? O meu pai tinha prevenido que havia um programa-surpresa.

— Ah! É verdade. E o que é?

— É uma festa no Palácio da Pena. Uma reconstituição histórica. Eu faço de princesa.

— Teatro?

— Não é bem. Quer dizer, não representamos uma peça. Vestimo-nos à época e fingimos que somos a família real, andamos de um lado para o outro, há música. Enfim, damos vida ao palácio. Acho que os visitantes vão adorar.

— Qualquer pessoa pode ir, é?

— Claro! Isto faz-se para agradar aos turistas. Ensaiámos bastante para que tudo corra bem. Agora vou-me vestir. Esperem um bocadinho, sim?

Dito isto subiu a escada a correr e fechou a porta à chave. As gémeas suspiraram de alívio.

— Safa! Ainda bem que se foi embora. Já não a podia ouvir.

— Nem eu! Está sempre a gabar-se. É tão convencida!

— E mentirosa. Aposto que nunca foi a África, que não houve safari nenhum e que inventou aquela patranha para gozar à nossa custa.

— Eu concordo contigo. Mas ela parece tão segura, tão à vontade!

— É uma aldrabona.

— E o pior é que temos que a aturar o resto da tarde. Se ao menos os rapazes estivessem connosco!

Ao ouvir aquilo, Luísa deu um pulo.

— Tive uma ideia! Oh! Que ideia excelente eu tive.

Sem explicar nada à irmã precipitou-se para o telefone. Discou o número do Pedro e quando ele atendeu do lado de lá perguntou ansiosa:

— O Chico e o João estão aí contigo?

A resposta foi afirmativa, pelo que ela continuou:

— Então preparem-se para vir ter connosco a Sintra. Há um programa sensacional no Palácio da Pena. Vocês vão adorar!

Ao lado dela Teresa ria à socapa.

— Metam-se já no comboio, está bem? Encontramo-nos à porta uns minutinhos antes das três horas.

Os rapazes ainda tentaram averiguar que tipo de festa era. Mas Luísa recusou-se a dizer.

— É surpresa! Surpresa!

Para evitar mais perguntas desligou.

— Ó Luísa, tenho medo de que eles fiquem chateados connosco...

— Porque?

Porque os fizeste vir de propósito só para verem um grupo de mascarados a passear num castelo...

— Ora! Basta estarmos juntos para nos divertirmos. E depois esta rapariga é tão idiota que vale a pena ser conhecida.

Se as gémeas soubessem qual ia ser o resultado daquele encontro, teriam desistido logo. Mas como não sabiam foram todas contentes para o Palácio da Pena!

Capítulo 2

No Palácio
da Pena

— Achas que as gémeas nos pregaram uma partida? — perguntou o João.

Os outros encolheram os ombros. Depois da caminhada pela serra acima estavam exaustos, respiravam com dificuldade e maldiziam a hora em que resolveram fazer a vontade à Luísa! Tinham combinado encontrar-se ao portão mas elas não estavam lá e ainda por cima não se via ninguém.

— Se houvesse uma festa isto devia estar cheio de carros — insistiu o João. — Não percebo.

— Nem eu! — disse o Pedro. — De qualquer forma duvido que as gémeas nos obrigassem a vir a Sintra e a subir vários quilómetros a pé sem motivo nenhum.

— Também acho. Deve ter acontecido alguma coisa — concordou o Chico. — Mas o quê?

— Se calhar a festa foi cancelada por causa do nevoeiro...

A hipótese era de considerar. Desde manhã que uma neblina ténue ameaçava engrossar e tornar-se densa a pontos de não deixar ver um palmo adiante do nariz. Ainda não tinha chegado a esse extremo, mas a serra ia sendo envolvida a pouco e pouco por uma espécie de cortina cinzenta muito leve que a tudo conferia um toque de mistério. As árvores pairavam como se fossem mágicas porque a umas não se via o tronco e a outras não se via a copa. Lá no alto o palácio furava as nuvens e exibia os seus torreões de cúpula redonda, ameias de feitio bizarro, terraços, guaritas e arcadas miudinhas. As paredes encaixavam na própria rocha, tal qual um desenho destinado a ilustrar contos de fadas.

João olhou em volta e sentiu um calafrio. Estavam sozinhos, o silêncio era absoluto e o ambiente tinha qualquer coisa de fantasmagórico.

— Vamos embora? — propôs. — Com certeza não há festa nenhuma e estamos para aqui feitos parvos!

— Hum... francamente não me apetece voltar para trás sem averiguar o que se passa. E além disso estou cheio de frio.

— Pois é, também eu! Enquanto vínhamos a andar tudo bem. Agora aqui parados acho que enregelamos em pouco tempo.

— Nesse caso o melhor é entrar!

Hesitantes penetraram no parque e foram

seguindo as setas azuis que indicavam o caminho para o Palácio da Pena. Nem guardas, nem turistas, nem gémeas, nada! Um vago receio ia-se-lhes infiltrando no espírito. Mas se alguém perguntasse de que é que tinham medo não saberiam dizer. Era uma sensação desagradável, como se fosse proibido estarem ali e receassem ser apanhados a qualquer momento.

Em silêncio percorreram várias alamedas, passaram por baixo de um túnel e, sempre a subir, foram dar a uma série de terraços que comunicavam entre si por caminhos e escadinhas de pedra. Não sabendo aonde se dirigir, pararam e puseram-se a observar com atenção as muitas portas e janelas daquele palácio. Mas ao darem com os olhos numa pequena guarita redonda julgaram sonhar. Lá dentro estava uma princesa! Uma princesa linda de morrer. E chorava. Com o coração alvoroçado aproximaram-se.

Seria uma visão? Iria desvanecer-se em fumo? De súbito, e sem perceberem como, tinham-se transformado por dentro e sentiam exatamente o mesmo que os cavaleiros antigos. Apetecia-lhes que aquela menina estivesse em perigo e que eles, cada um deles, fosse obrigado a fazer qualquer coisa complicadíssima para a salvar. Depois, claro, pegar-lhe-iam ao colo. E não havia de faltar o beijo...

Atarantados, viram-na sair a correr pelo pátio. Com um gesto brusco arrancou o toucado. Os cabelos caíram-lhe sobre os ombros e as pérolas voaram em todas as direções saltitando no lajeado com um «tiquetique» alegre, irregular.

Escusado será dizer que se precipitaram imediatamente a apanhá-las, ansiando cada um ser o mais rápido, o mais eficaz.

E foi assim que as gémeas os viram quando assomaram à porta. Pedro, Chico e João estavam ajoelhados aos pés da Magda! E ela sorria, feliz e altiva como uma verdadeira princesa.

— O que é que vos aconteceu? — perguntou Teresa.

— Caíram de cócoras?

Vagamente atrapalhados levantaram-se e foi Pedro quem deu explicações:

— Andávamos a apanhar as pérolas que lhe caíram do toucado — disse. — Espalharam-se por tudo quanto é sítio.

— Ah!

— Conhecem-se? — perguntou Magda.

As gémeas tiveram vontade de lhe bater.

— São os nossos maiores amigos — declarou Luísa. — Telefonámos a convidá-los.

— É por nossa causa que estão aqui — acrescentou a Teresa, com o mesmo tom gélido da irmã.

Magda ou não percebeu ou fez-se desenten-
dida porque respondeu com um sorriso:

— Que sorte que vocês têm!

— Nós? Porquê?

— Porque os vossos maiores amigos são
estes rapazes sensacionais!

Pedro, Chico e João até coraram de prazer.
E Magda continuou:

— O meu maior amigo também era um rapaz. Nunca me dei muito bem com raparigas,
sabem? Mas tenho um azar horrível...

«O que irá ela inventar agora?», pensavam
as gémeas. «Que história estapafúrdia irá im-
pingir?»

— Chamava-se Telmo e era o máximo! Mas
imaginem só que os pais foram viver para a
Argentina...

— Mentirosa! — rosnou a Luísa. — É preciso ter muita lata.

Teresa deu-lhe uma cotovelada. Se disses-
sem em voz alta o que lhes ia pela cabeça,
acabariam por fazer uma figura bastante ridícula. Tanto mais que os rapazes pareciam
hipnotizados pelos olhos verde-água e andavam
à volta dela como borboletas tontas à roda da
luz. Que estúpidos!

— Se tens falta de amigos não te preocupes
— dizia o Pedro todo baboso. — A partir de
agora contas connosco!

— Claro! — insistia o Chico. — Passas a fazer parte do nosso grupo.

— Aposto que vais adorar o *Faial*...

— Quem é o *Faial*? — perguntou ela com um risinho de parva.

— É um cão! — responderam as gémeas em coro. — Enorme! E odeia gatos.

João olhou para elas admirado. E ia a dizer qualquer coisa quando apareceu à porta outro grupo de mascarados.

— Afinal que tipo de festa é? Não quiseste explicar nada ao telefone — lembrou o Pedro. Luísa, bastante amuada, contou então:

— Era uma reconstituição histórica. Mas foi adiada por causa do nevoeiro.

— Por isso é que eu estava a... chorar — confessou Magda. — Tinha-me preparado tão bem para este espetáculo, apetecia-me tanto fazer de princesa, que não aguentei!

— Deves ser muito mimada — disse a Teresa. — Se te pões a chorar sempre que as coisas não correm à medida dos teus desejos é porque em casa te fazem todas as vontades!

Os rapazes saltaram logo a defendê-la.

— Oh, Teresa! Não sejas injusta. É muito natural que tenha ficado desiludida.

— Ainda por cima com um vestido tão bonito!

Foi pena, eu adoro reconstituições históricas.

— Ai sim, João? Isso é formidável! — respondeu-lhe a Luísa. — Sobretudo porque nunca assististe a nenhuma.

Receando que a conversa azedasse, Pedro optou por sugerir:

— Se fôssemos lá para dentro? Estou cheio de frio.

É melhor, sim. Não nos podemos ir embora enquanto não chegar o diretor do palácio. Foi ele que organizou tudo e vem aí para dar um presentinho aos artistas.

«Tomara que demore!», pensaram os rapazes.

«Tomara que chegue depressa», pensaram as raparigas.

Magda, essa, continuava a mover-se com gestos de gata e a falar pelos cotovelos.

— Os meus pais vêm buscar-nos mais logo. Se trouxerem a carrinha, podem vir connosco. Daqui até à vila ainda é um bom bocado para andar a pé...

Capítulo 3

O palácio tem fantasmas?

Quando entraram no átrio as gémeas deram um suspiro de alívio porque ali o centro das atenções mudou. Quem falava era o antigo guarda do palácio. Chamava-se Raposo e toda a gente escutava as suas histórias.

— Gosto muito da serra e conheço-a tão bem como aos riscos que tenho na palma da mão! O meu pai era guarda-florestal, vivíamos numa casinha aí abaixo, no meio do arvoredo. Agora está em ruínas e é um crime. Mas adiante, que tristezas não pagam dívidas...

O Sr. Raposo era baixo, gordinho, careca. Se estivesse calado ninguém reparava nele. No entanto bastava que começasse a contar histórias para se transfigurar. Os olhos miúdos muito pretos adquiriam um brilho impressionante e as bochechas tornavam-se rosadas como se tivessem luz por dentro. Era impossível desviar a atenção do que dizia.

— O meu primeiro emprego foi aqui, no palácio.

— A fazer o quê? — perguntou alguém.

— A fazer de guarda. Vocês sabem que o Palácio da Pena é muito grande. Tem algumas salas e quartos abertos ao público mas a maior parte está fechada.

— Porquê?

— Porque as pessoas necessitam de espaço para trabalhar. Muitas divisões foram transformadas em pequenos escritórios, ateliês, despensas para guardar material. E mesmo por cima do sítio onde estamos, é a casa do guarda.

Um rapagão simpático acenou que sim e o Sr. Raposo passou-lhe o braço à volta dos ombros num gesto familiar.

— Este é o meu substituto. Quando me reformei foi ele que ocupou o lugar e agora vive na minha casa...

Embora quisesse parecer descontraído, via-se perfeitamente que lhe custava referir-se ao passado, que tinha saudades, que gostaria muito de continuar como guarda.

— Por que é que se reformou? — perguntou o João.

— Porque fui obrigado. Vocês com certeza sabem que a lei prevê um limite de idade para começar a trabalhar. Ninguém pode ser contratado antes de fazer catorze anos. Pois também há um limite para acabar. Eu atingi o limite de idade e fui obrigado a sair. Mas adiante, que tristezas não pagam dívidas...

Pelos vistos aquela frase era um tique do Sr. Raposo. Entre a assistência houve um sussurro risonho. Estavam ali vários rapazes e raparigas mascarados, as gémeas, a senhora que vendia bilhetes e outros empregados do palácio. O átrio era pequeno, quadrado, com uma escadaria elegante que dava acesso ao andar superior. Não tinha mobília, apenas uma coluna com um busto de homem em bronze. Foi para junto dele que o Sr. Raposo se dirigiu.

— A estátua de D. Fernando é muito bonita, não é? Reparem nos bigodes. Ficam-lhe bem, não ficam? — fez uma pausa e continuou: — Se calhar vocês não sabem que D. Fernando é que mandou construir este castelo.

Ninguém respondeu, porque de facto ninguém sabia. Só os empregados, claro. Mas esses mantinham-se à parte, deixando que o velho guarda conversasse com a malta nova sem interferências. Uma vozinha apagada arriscou então:

— D. Fernando era o rei?

— Era o marido da rainha D. Maria II. Veio lá das Alemanhas para casar com ela e apaixonou-se por Portugal. Adorava Sintra. Foi por isso que mandou construir o Palácio da Pena e nunca mais de cá saiu, nem depois de morto.

— Porquê? Enterraram-no aqui?

O Sr. Raposo deu uma gargalhada.

— Não, meus filhos! O corpo está noutro sítio. Agora o espírito vagueia pelos salões, dança na sala de baile, repousa no claustro...

— Que disparate! — resmungou alguém.

— Disparate não. Podem julgar que eu sou louco mas garanto-lhes que sei muito bem o que estou a dizer.

O homem agora falava arrebatadamente. De um salto fora colocar-se mesmo em frente da estátua e explicava-se gesticulando muito. Os olhinhos pretos soltavam chispas e a cara ia passando dos tons de cor de rosa para uma autêntica mancha vermelho-viva.

— Ninguém acredita, mas é verdade. Enquanto aqui estive, e foram muitos anos, ouvi-o andar de um lado para o outro pelos corredores. Suspirava, coitado! Tinha tantas saudades do seu palácio que vinha do outro mundo para o visitar.

— Ó Sr. Raposo, não diga uma coisa dessas! — atalhou o jovem guarda. — Olhe que eu durmo aqui todas as noites e nunca ouvi coisa alguma.

Ele não desarmou.

— Não ouviste porque não calhou ou porque tens o sono dos brutos.

— Ora...

— Estou-te a dizer! O palácio é assombrado. E mais! D. Fernando não é o único fantasma que anda por aqui.

Chico resolveu meter-se ao barulho e gozar:

— É natural. Se vem matar saudades com certeza traz a mulher e os filhos. Ou então era um engarrafamento de almas do outro mundo!

— Não brinques, meu amigo. Olha que o assunto é muito sério.

O tom de voz tornara-se cavernoso. Inclinado para a frente, escarlate de fúria, com os olhos transformados num feixe de luz, o velho guarda parecia na iminência de explodir.

— O palácio tem fantasmas. Muitas horas passei a ouvi-los transido de medo.

— E ouvia o quê?

— Ruídos! Alguns faziam ruídos incríveis! Era de deixar um homem com os cabelos em pé...

— Parece que hoje é o dia mundial dos mentirosos — disse a Luísa ao ouvido da irmã.

— Primeiro foi a Magda, agora este!

Teresa sorriu.

— Mas este tem piada.

— Achas?

— Acho. Repara que ele parece mesmo convencido do que está a dizer.

A empregada do vestiário devia ter tido a mesma ideia porque lhe interrompeu o discurso com uma frase elucidativa:

— O Sr. Raposo enganou-se na profissão. Em vez de guarda devia ter sido ator! E a propósito, contaram-me que...

— Não te contaram coisíssima nenhuma! — berrou ele furioso.

Fez-se silêncio. Durante alguns instantes o velhote pareceu perder o fio à meada e olhou a rapariga dos pés à cabeça com uma expressão carrancuda.

Dir-se-ia que tinha medo de que ela insistisse em completar a frase. «Contaram-me que...» ficou pairando no ar, como uma ameaça. Que seria que lhe tinham contado?

As gémeas ardiam em curiosidade mas não se atreveram a perguntar.

Como lhes apeteceu falar do assunto com os amigos voltaram-se para trás. Pedro, Chico e João continuavam de roda da Magda, tentando arranjar pretextos para lhe mexer na roupa, no cabelo, nas mãos, na cara.

— Caiu-te uma pestana — dizia o Pedro. E aproveitava logo para lhe passar os dedos pela pele.

— Deixa ver os anéis — dizia o Chico. — Que bonitos. São falsos ou verdadeiros?

E aproveitava para lhe segurar a mão.

O espetáculo não podia ser mais irritante!

— Vão-se apaixonar os três pela mesma pessoa e depois zangam-se! — exclamou a Teresa em voz surda.

— Se aquela megera acaba com o nosso grupo, mato-a! — ripostou a Luísa.

Felizmente o guarda obrigou toda a gente a sair dali e como a porta era estreita, o novelo de apaixonados desfez-se. Um por um seguiram para o pátio aonde o Sr. Raposo lhes queria mostrar qualquer coisa.

Estão a ver o Tritão?

Num mesmo movimento ergueram a cabeça para a parede exterior onde um artista de outros tempos gravara uma estranha figura em pedra.

— É um homem marinho. Um tritão. Diferencia-se das sereias porque elas têm rabo de peixe. Eles são iguais a nós em tudo mas têm as pernas cobertas de escamas. Usam cabelos compridos e barba. Reparem também na boca. Está aberta como se soltasse gritos de arrepiar. Foram esses gritos que eu ouvi no meu quarto sempre que... sempre que calhava sexta-feira 13...

«O homem julgará que somos todos parvos?», pensavam as gémeas.

Para seu grande espanto, Chico avançou alguns passos muito sério e disse:

— Por acaso na próxima sexta-feira é dia 13. Se o senhor garante que os fantasmas aparecem, gritam e choram, acho que venho cá para os ouvir.

Ao contrário do que seria de esperar, o Sr. Raposo não vacilou.

SE HÁ FANTASMAS AO ANOITECER, QUERO ESTAR POR PERTO...
ENTÃO, PREPARO UM LANCHE REFORÇADO PARA NÓS OS QUATRO

— Podes vir à vontade, meu amigo. Só que esses ruídos nunca começam antes do pôr do Sol e o palácio fecha às cinco e meia. Nesta altura do ano anoitece cedo. Mas quem sabe, talvez tenhas sorte!

Chico sorriu.

— Vou ter muita sorte com certeza! — E virando-se para Magda, propôs: — Se passar por tua casa ofereces-me um lanche?

— Claro!

— Eu também quero vir ao palácio nesse dia! — exclamou o Pedro —, se há fantasmas ao anoitecer quero estar por perto.

— Também podem contar comigo e com o *Faial*.

Magda exultava!

— Então na sexta-feira preparo um lanche reforçado para nós os quatro.

Olhou para as gémeas e fez um trejeito com a boca.

— Não as convido porque as meninas costumam ter medo de fantasmas!

— Medo tinha a tua avó! — respondeu-lhe a Teresa de rompante.

— E não precisas de nos convidar porque o palácio não é teu!

— Pronto! Pronto! Não se zanguem. Disse aquilo por brincadeira. Claro que estou a contar convosco para o lanche...

Luísa fez de conta que não ouviu e puxou a irmã para um canto. Pálida de raiva perguntou-lhe em voz baixa:

— Aceitamos o convite ou preferes mandá-la à fava?

Capítulo 4

Vamos?

A decisão foi difícil de tomar sobretudo porque o convite para o lanche se transformou num convite para passarem o fim de semana em Sintra. Os pais de Magda iam para fora e ela ficava sozinha com o jardineiro e a mulher, que viviam num anexo pegado à casa. A perspetiva de passar duas noites e dois dias com os amigos num sítio giríssimo e praticamente sem adultos era aliciante. Mas ter que aturar aquela idiota parecia-lhes insuportável.

— Não posso com ela! É uma estúpida.

— Estúpida, não! Mentirosa, aldrabona, convencida...

— Está convencida de que é uma gata em ponto grande. Reparaste no andar?

Luísa passeou no quarto tentando imitar os gestos felinos da Magda mas talvez por falta de treino o resultado não era igual.

— Arrasta o corpo, abana a cabeça, ondula os ombros... Bah! Tenho a certeza de que mia nas horas vagas!

Apesar da má disposição, Teresa riu-se e acrescentou:

— Deve ensaiar miados ao espelho para competir com a *Florbela*.

Naquele momento Luísa passava em frente ao espelho e deteve-se a olhar para si própria. Deu um jeito ao cabelo, virou-se de perfil, arrepanhou os lábios, franziu o nariz e depois afastou-se.

— Porque é que estavas a fazer caretas?

— Sei lá! Apeteceu-me.

Estendeu-se ao comprido na cama com um braço para cada lado.

— E agora?

— Agora o quê?

— Vamos a Sintra ou ficamos em casa?

— Hum... se nós não formos o passeio acaba mal.

— Porquê?

— Porque a Magda aproveita para dar volta ao miolo aos rapazes. Faz-se muito engraçada, dá conversa a todos e depois escolhe um para namorar, e os outros zangam-se para sempre.

— Que horror!

— Pois é. Temos de evitar que isso aconteça.

— Como?

— Não sei.

— O que me apetecia era chegar ao pé deles e dizer: «Vocês não percebem que estão a ser gozados? Se ela gostasse de um, não fazia olhinhos aos três!»

Teresa ficou pensativa durante alguns minutos. Depois abanou a cabeça.

— Não é boa ideia, Luísa. Se falares assim sabes o que te respondem?

— Sei. Dizem que temos ciúmes porque a Magda é muito bonita.

— Exato. Portanto, caluda. Vamos passar o fim de semana com um sorriso de orelha a orelha e na primeira oportunidade, zás!

— Dás-lhe um par de estalos?

— Que disparate!

— Porquê? Apetecia-me tanto!

— Também a mim. Mas neste caso, um par de estalos não resolve coisa alguma.

— Então o que é que tu propões?

— Um acordo secreto.

— Com ela?

— Não, contigo.

— Para quê?

— Para a desmascarar. Eles têm que perceber como ela é falsa e a única hipótese é irmos a Sintra, fingirmos que estamos muito bem-dispostas, dizer a tudo que sim e andar de olho alerta. Que te parece?

— Parece-me bem.

— Então combinado!

Só quando chegou a hora de partida é que as

gémeas perceberam que não seria fácil cumprir o acordo secreto!

João apareceu de ténis novos, muito bem penteado, com o *Faial* pela coleira. O pelo luzidio indicava banho recente.

«Coitado!», pensou a Teresa. «Foi obrigado a lavar-se para ir à mostra!»

Chico escolhera a roupa com mil cuidados e Pedro atacara em cheio o frasco de perfume do pai.

Luísa morria por fazer troça. Que parvos! Mas limitou-se a trocar um olhar cúmplice com a irmã e mordeu a língua.

Durante a viagem ninguém falou muito. As gémeas entretinham-se com o *Caracol*, a quem tinham resolvido levar precisamente para que as ajudasse a disfarçar a irritação. O bichano ia feliz pois há muito que as donas não lhe davam tanto mimo!

Magda aguardava-as impaciente. Sendo filha única, raramente tinha pessoas da mesma idade a dormir lá em casa, portanto, queria aproveitar bem aquele fim de semana! Pelo sim, pelo não, fechou a gata e os gatinhos no anexo do jardineiro. Sabia que os rapazes traziam um cão e preferia evitar problemas. Depois passou pela sala de jantar a ver se o lanche estava em ordem e seguiu para o quarto onde se colocou diante do espelho pela quinquagésima vez.

«Estou bem bonita, hoje!», pensou. «Gosto do cabelo assim, comprido e solto.»

Enquanto se mirava e remirava, lembrou-se de puxar a franja para o lado e deixou à vista uma cicatriz minúscula que tinha na testa. Os rapazes não deixariam de perguntar se partira a cabeça em pequena e então contava-lhes uma história fantástica passada em África.

— Hum... Talvez seja preferível na Amazónia, porque se for em África as gémeas podem desconfiar e fazer perguntas complicadas. Aquelas raparigas são infernais, falam pelos cotovelos!

Nesse dia, no entanto, as gémeas reservavam-lhe uma surpresa. Apareceram com um cãozinho branco ao colo, muito sossegadas, muito sorridentes e ainda por cima diziam a tudo que sim!

Ao princípio até julgou que tivessem resolvido gozá-la, mas depois mudou de ideias.

— Devem sofrer de humor variável por serem duas pessoas iguais — decidiu. — Hoje deu-lhes para o tipo silencioso. Melhor! Assim converso com os rapazes mais à vontade.

Embora eles estivessem dispostos a ouvi-la, não houve tempo para grandes histórias.

— O palácio fecha às cinco e meia. Se querem lá ir não podemos esperar muito — disse o Pedro.

— E ainda por cima, parece que vai chover.

João espreitou pela janela e ficou inquieto.

— Tenho a impressão de que além de chuva apanhamos com uma trovoada em cima. Olhem as nuvens. Tão pretas!

Teresa e Luísa espreitaram também mas não fizeram comentários.

— Querem ir ou desistimos?

— Por nós, tanto faz.

Pedro estranhou.

— Vocês estão doentes, ou quê?

Foi Magda quem respondeu.

— Que ideia! As gémeas estão ótimas e tenho a certeza de que concordam comigo. Não nos devemos assustar com a trovoada. Se combinámos ir, vamos nem que desabe um temporal! Aliás, quem é que tem medo de temporais? Só os medricas. Cá por mim, estou farta de andar à chuva e ao vento. Não me ralo nada, até gosto!

— Também eu — disse o Chico. — Adoro meter-me em poças de lama...

Pedro e João concordaram vivamente. As gémeas permaneceram em silêncio e a decisão foi tomada.

— Vamos ao Palácio de Pena porque é sexta-feira 13 e o Sr. Raposo garante que nestes dias há ruídos estranhos e movimento de fantasmas! — exclamou o Pedro já de saída. — Oxalá que apareçam mesmo!

Ao falar, porém, sentiu um arrepio na espinha. Frio? Medo? Mas medo de quê?!

A atmosfera estava de facto carregadíssima. Nuvens cada vez mais grossas e negras amontoavam-se lá no fundo, ameaçando desabar sobre eles em bátegas violentas, raios e trovões. Nas ruas quase desertas não se via ninguém. E pelos caminhos da serra, então, era o silêncio total. Ao princípio ainda tentaram gracejar, mas como não resultava, calaram-se. Atrás uns dos outros enveredaram por um atalho e foram avançando. Aqui e além os arbustos surgiam emaranhados, como se quisessem obstruir a passagem. As árvores de tronco rugoso e copa imensa pareciam crescer, alargar, estender os ramos de forma inquietante, duvidosa, O único som vinha do chão, do mato que pisavam. «Schlec... schlec... schlec...»

«É um bosque mágico», pensou o João. «Já da outra vez tive uma sensação igualzinha.»

E, tal como da outra vez, sentiu uma vontade louca de fugir dali. Mas não querendo dar parte de fraco, continuou.

Faial caminhava a seu lado, com as orelhas arrebitadas. De vez em quando arreganhava os dentes e soltava um latido incompreensível. Ao lado de Teresa, Caracol tremia sem saber porquê.

Nervosíssimos, ansiavam por chegar, mas a sensação de desconforto persistiu mesmo depois de atravessarem o parque e avistarem o castelo. Um pensamento idêntico bailava em todas as cabeças.

«Será que esta história de sexta-feira 13 tem um fundo de verdade?»

Sexta-feira 13

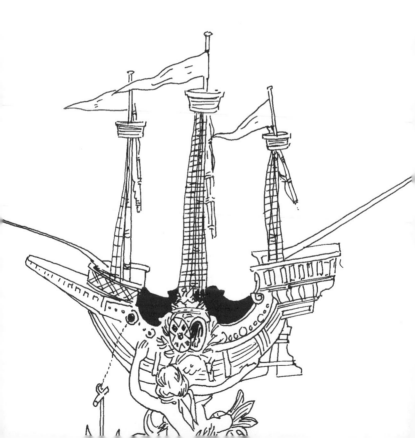

Se o ambiente cá fora era estranho, dentro do palácio era ainda pior! O mau tempo afastara os turistas de modo que, além dos empregados, só um japonês de máquina fotográfica a tiracolo e expressão impenetrável circulava pelos salões. No claustro passeava um casal de meia-idade que não podia ser português. Ela era baixa, gorda, com cabelo ralo caindo em farripas para a cara. Usava saia de fazenda muito justa, soquetes pretos e sapatos de ténis. Ele era tão loiro e tão branco que parecia quase transparente. Media mais de um metro e noventa e as pernas dir-se-iam demasiado finas para aguentar o tronco enorme. Com certeza não tinha outro remédio senão mandar fazer a roupa por medida!

As gémeas observaram-no de soslaio. O *ano--rak* vermelho-escuro acolchoado tinha altos e baixos muito suspeitos. Levaria alguma coisa escondida junto ao corpo?

Apesar de terem outros planos, não resistiram a segui-los com o olhar. Aparentemente limitavam-se a percorrer o palácio admirando as peças em exposição. Mas demoravam tanto ao pé de cada uma!

— Achas que são especialistas em obras de arte? — perguntou a Luísa.

— Devem ser, porque ela tem um bloco de notas.

Curiosas como sempre, aproximaram-se e deitaram uma mirada às folhinhas de papel. Se estavam intrigadas, mais intrigadas ficaram! O bloco não tinha nada escrito. Na folha havia apenas um desenho que não identificaram à primeira. Mas depois, vendo melhor, perceberam que era uma rosa simplificada e uma cruz.

Agora por que motivo a mulher se debruçava para cada objeto do Palácio da Pena sempre com uma rosa diante do nariz é que não conseguiram entender!

Durante um bom pedaço ficaram por ali, fingindo-se absorvidas na contemplação de um quadro sem nunca desfitarem o estranho casal.

— Se ela é especialista em obras de arte, ele deve ser pedreiro.

— Porquê?

— Porque o que lhe interessa é o chão, as paredes e o teto. Repara.

De facto o homem parecia absorto diante de uma parede nua!

— Será que andam à procura de alguma coisa? — disseram em coro.

Depois riram-se. Era tão divertido que lhes viessem à cabeça as mesmas ideias ao mesmo tempo! Quando diziam assim de chofre a mesma frase diante de outras pessoas, toda a gente se admirava. E perguntavam:

— É por serem gémeas?

— Adivinham os segredos uma da outra?

Elas nunca esclareciam ninguém porque preferiam manter um certo mistério. De qualquer forma, ainda que quisessem, não podiam dar uma explicação muito clara porque também não tinham a certeza. Aquilo acontecia de vez em quando e pronto!

— Receio que estes indivíduos andem a aprontar alguma...

— O quê?

— Sei lá! Nunca vi turistas assim apatetados. Já pensaste o que é fazer uma longa viagem, ir para outro país e depois ficar de boca aberta diante de uma parede?

— Lá isso é verdade.

Inquietas, olharam à volta. Os empregados deviam estar ocupadíssimos ou então tinham abrandado a vigilância, porque não se via nenhum por ali.

— Onde estarão os rapazes?

— Ora! Devem andar a babar-se atrás daquela mastronça. São parvos.

— Luísa, não digas isso! Eles não «são» parvos. «Estão» parvos, que é muito diferente.

— Talvez.

— Pelo sim, pelo não, vamos procurá-los. Quero que conheçam este par e nos ajudem a resolver se prevenimos alguém.

Teresa voltou-se de novo, hesitante. Prevenir alguém? Acerca de quê?

As dúvidas dissiparam-se no minuto seguinte porque a mulher, com o corpo inclinado, espreitava para debaixo de um armário, enquanto o marido repetia duas ou três palavras, sempre as mesmas, numa língua estrangeira.

— Está bem, vamos procurá-los — disse.

Entretanto o Pedro e o Chico maravilhavam-se com a sala de jantar, onde as luzes estavam acesas e a mesa posta como se a família real pudesse aparecer de um momento para outro. Magda, que já conhecia o palácio de visitas anteriores, chamou-lhes a atenção para o centro de mesa em prata.

— Tem uma caravela porque foi oferecido por umas senhoras francesas à última rainha de Portugal, a rainha Dona Amélia.

— Que linda prenda!

— E valiosa. Se for em prata maciça, deve valer uma fortuna.

— Tenho a impressão de que é oca.

— Eu acho que é maciça.

A única forma de tirarem o assunto a limpo era tomarem-lhe o peso. Mas um cordão de seda impedia que os visitantes se aproximassem de mais, para evitar tentações. Sem vigilantes, qualquer pessoa salta por cima de um cordão de seda...

Chico já estava de pé no ar quando apanhou um susto tremendo. Atrás dele levantou-se um cortinado de veludo vermelho e alguém lhe cravou as mãos no ombro com bastante força. A primeira reação foi tentar libertar-se e ainda deu uma sacudidela ao corpo. Logo a seguir viu que se tratava do Sr. Raposo e foi dizendo:

— Ah! É você? Lembra-se de nós? Combinámos vir cá na sexta-feira 13, para ouvirmos os tais ruídos...

Ao contrário do que esperava, o homem não se abriu em sorrisos e falou bruscamente:

— O que é que ias fazer ali, hã?

— Eu? Nada! Não ia mexer em nada. Só queria ver melhor a caravela.

— Porquê? Precisas de óculos?

Chico encolheu os ombros e ficou calado. Magda afastou-se mas Pedro estranhou. O Sr.

Raposo tinha-se modificado bastante desde a última vez. Onde estava o indivíduo simpático, o contador de histórias que lhes aparecera no dia da festa? Impossível reconhecê-lo naquele velho rezingão, carrancudo.

— São quase horas de fechar — disse. — Já vi que gostam de fazer asneiras, portanto o melhor é porem-se a milhas.

Chico encarou-o com uma expressão feroz. Detestava que o tratassem como se fosse uma criancinha e não havia sequer motivo para grandes ralhos!

Sempre de mau humor, o velho continuou:

— Quem não tem categoria para visitar monumentos, fica em casa. O Palácio da Pena não é para pessoas mal-educadas.

— Mal-educado, eu? Ora essa, porquê?

— Porque se vê pelos teus modos que não estás habituado a sítios finos...

O rapaz encheu o peito de ar e ficou à espera do resto da frase. Se o tipo continuasse a insultá-lo havia de se arrepender.

— Ias saltar por cima do cordão de seda, meu malandro.

— Malandro é você! — explodiu por fim. — E intrometido. O que é que está aqui a fazer, hã? Nem sequer é guarda, já se reformou!

O velhote reagiu como se lhe tivessem dado um murro no estômago.

Fechou e abriu a boca várias vezes, revirou os olhos, cerrou os punhos e preparava-se talvez para lhe bater quando apareceu à porta um rapaz em fato-macaco. Trazia rolos de fio elétrico aos ombros e uma caixa de ferramentas na mão. Não falou mas fez um gesto imperioso com o queixo e o resultado foi surpreendente! Raposo ficou sem pinga de sangue. A cor desapareceu-lhe da cara e até da boca, como se fosse desmaiar. Endereçou-lhe um sorriso amarelíssimo e seguiu o eletricista para trás da cortina de veludo sem articular uma única palavra.

Perplexos, os rapazes olharam um para o outro.

— Que estupidez! — disse o Pedro. — O homem estará louco? No outro dia desfazia-se em amabilidades, hoje só faltou atirar-se a nós...

Magda colocou-se no meio deles com os olhos a brilhar de excitação. Na testa uma pequena cicatriz em forma de meia-lua ganhou relevo ao tornar-se vermelha.

— As coisas às vezes são mais complicadas do que parecem — declarou. — A cena a que acabámos de assistir tem muito que se lhe diga.

— Achas?

Ela baixou a voz e falou num tom grave, solene:

— O homem pode ser louco, mas também pode não ser. É muito estranha a maneira como seguiu o eletricista. O outro fez-lhe sinal com o queixo e ele foi atrás, branco como a cal da parede...

— E como é que interpretas isso?

Ela não vacilou e deu início a uma lista infindável de explicações.

— Pode ser que o velho esteja transtornado do juízo e que o eletricista seja filho ou neto e ande com ele para não o deixar fazer figura de parvo. Ou talvez o eletricista seja apenas alguém que sabe um segredo importantíssimo da vida do Sr. Raposo e faça chantagem com ele.

— Chantagem?

— Sim, pode, por exemplo, ameaçá-lo de que conta o tal segredo se ele não o ajudar a roubar uma peça deste museu...

— Francamente não acredito. O velhote parece tudo menos ladrão.

— Exato. Por isso é que o outro exerce chantagem...

— Hum, não sei.

— Ainda há outra hipótese — continuou Magda —, suponham que há mesmo os tais ruídos. O eletricista pode ter combinado com ele esconderem-se no palácio para gravar tudo o que se ouvir hoje à noite. E o homem, embora concordando, talvez esteja com medo. Afinal de contas já saiu daqui, já não está habituado aos fantasmas...

Era óbvio que Magda se entusiasmava ao rubro com as suas próprias histórias. Os olhos pareciam faróis emitindo luz. E a cicatriz da testa latejava, ao ritmo do coração. Os rapazes olhavam-na como que hipnotizados.

— Temos que fazer qualquer coisa! — insistiu ela várias vezes. — É indispensável!

— O quê?!

— Segui-los — disse o Chico muito sério. — Vou espreitar atrás da cortina de veludo e logo se vê o que acontece.

Atrás da cortina havia uma porta que dava acesso aos tais compartimentos encerrados ao público de que Raposo falara no dia da festa.

Corredores, portas de madeira, escadas a subir e descer, tudo mergulhado no mais completo silêncio. Pé ante pé, Chico percorreu todos os caminhos possíveis e não encontrou ninguém. Depois voltou para trás. Ainda viu uma escadinha bizarra, que tinha princípio mas não tinha fim, porque começava como todas as outras mas ia ter a uma parede branca sem qualquer abertura. Receando perder-se voltou para trás.

Pedro e Magda aguardavam ansiosos.

— Então?

— Acho que são escritórios, ateliês, mas o

pessoal com certeza já saiu. Só encontrei uma coisa engraçada.

— O quê?!

— Ali dentro há uma escada que não vai dar a lado nenhum. Acaba na parede.

— Tens a certeza?

— Absoluta.

— Talvez seja uma passagem secreta — disse a Magda. — Lembrem-se de que o palácio é muito antigo. Oh! Agora sei que vai acontecer algo de fantástico à noite. É um pressentimento. — Fez uma pausa para dar mais ênfase à conversa e prosseguiu: — Eu tenho pressentimentos desde pequenina. Sempre que está para acontecer algo fora do normal, dói-me a cicatriz...

Pedro e Chico olharam para a testa, onde a pequena meia-lua se tornara carmesim. Mas uma sombra de dúvida atravessou-lhes o espírito. Aquela rapariga era bonita, interessante, mas não seria um bocadinho mentirosa?

A chegada do João mudou o rumo da conversa.

— O que é que foi? — perguntou. — Por que é que estão pasmados e a olhar uns para os outros?

Chico já se dispunha a dar explicações várias quando Magda fez sinal:

— Fala mais baixo. Fala baixo que é melhor!

Encaminharam-se então para um recanto e de cabeças muito juntas puseram-se a cochichar.

Foi assim que as gémeas vieram dar com eles. Indignadas aproximaram-se e Luísa perguntou:

— Não têm vergonha?

— Vergonha? De quê?

Elas gostariam de responder mas a frase que lhes vinha aos lábios era absurda. «Vergonha de namorar em grupo!»

Limitaram-se portanto a um gaguejo:

— Nada, nada!

Capítulo 6

Que fazer?

Pedro compreendeu muito bem que as suas amigas estavam perturbadas mas achou melhor não averiguar porquê.

Enfiou-lhes o braço e num tom de voz cúmplice pô-las a par de tudo o que tinha acontecido.

— Não nos apetecia ir embora sem saber o que se passa — disse por fim. — Estamos a morrer de curiosidade.

— Eu tive um pressentimento — continuou Magda. — Esta noite ficará memorável na história do palácio...

— Não sejas parva! — respondeu-lhe a Teresa.

Pedro queria tudo menos discussões, por isso interpôs-se:

— Calma! Se ela tem ou não pressentimentos agora não interessa.

As gémeas olharam para ele atentamente. Já teria desconfiado de que a nova amiga era uma aldrabona? Não podiam ter a certeza mas as possibilidades eram muitas.

Ele continuou:

— O eletricista e o guarda desapareceram por aquela porta. Podem ter ido fazer qualquer serviço, podem ter ido embora para casa, mas também pode ser que se prepare algo de especial para esta noite. A Magda há bocado lembrou-se de falar em gravações. Se for isso, gostava de assistir.

— Gravações? De quê?

— Bom, o Sr. Raposo garante que nos dias de sexta-feira 13 sempre ouviu ruídos. O outro é eletricista, enfim, talvez tenham combinado juntar-se para gravar os tais ruídos.

— Isso era o máximo!

— Pois era.

— Para assistirmos à sessão temos que nos esconder porque daqui a nada o palácio fecha.

— Se vocês se querem esconder, eu alinho. Mas não é fácil — disse a Luísa. — Há que dar solução a vários problemas.

— Quais?

— Primeiro de tudo, os cães. Onde é que eles andam?

— No parque — disse o João. — Se sentirem frio, têm imensas grutas e recantos para se abrigarem. Até as guaritas servem.

— Bom, esse problema fica resolvido. Mas há os outros. Pensaram nos guardas?

— Os guardas daqui a pouco vão-se todos embora. Só fica um, aquele rapaz novo que ocupa a antiga casa do Sr. Raposo. Ainda não o vi, se calhar faz turnos com os colegas.

— Turnos?

— Pois. Talvez os outros trabalhem de dia e ele de noite.

— É possível. E então?

— Então escondemo-nos por aí. Quando fecharem as portas, é natural que ele dê uma volta pelo palácio para ver se está tudo em ordem. E o que é que pode acontecer? Se nos encontrar, manda-nos embora com um ralhete. Se não nos encontrar, ficamos à espera.

— De quê?

— Isso não sei.

— Então esperamos toda a noite? E se não acontecer nada?

— Piramo-nos.

— Podíamos combinar uma hora.

— Sim. Esperarmos por exemplo até às nove e meia; se estiver tudo calmo, saímos disfarçadamente.

— Por onde?

— Ora, Luísa! Hoje só levantas dificuldades. Pela porta, por uma janela, sei lá!

— Até podemos chamar o guarda e pedir que nos solte.

— Então? Que dizem? Querem arriscar?

Todos acenaram que sim, portanto, ficou decidido.

— Somos muitos — disse o João. — Não me parece que seja fácil arranjar um esconderijo para seis pessoas.

— O melhor é cada um procurar o seu. Escondam-se bem, hã?

— E não demorem. Já são cinco e vinte.

Teresa olhou lá para fora e deu um suspiro.

— Nesta altura do ano anoitece tão cedo! São cinco e vinte e já é noite.

— Ainda bem! A escuridão nestes casos costuma fazer jeito.

Chico já ia em busca do esconderijo, quando Pedro chamou:

— Espera! Não combinámos tudo.

— Falta o quê?

— Recomendações. Tenham cuidado, porque pode ser que ainda ande alguém por aí. Se um de nós for apanhado a esconder-se, estamos todos tramados!

Só nessa altura é que Teresa e Luísa se lembraram de falar no estranhíssimo casal de turistas. Mas já não havia tempo para grandes especulações.

— Não te preocupes — disse-lhe o Pedro. — Esses com certeza já saíram. Agora prestem atenção. Às nove e meia em ponto encontramo-nos à porta da sala de jantar.

— E se acontecer alguma coisa?

— Ora! Nesse caso há de haver gritos, berros. Depressa nos encontramos.

Mal sabia o Pedro como se enganava.

— Temos sete minutos — disse o João, olhando o relógio. — Sete minutos apenas.

O grupo dispersou pé ante pé. Qual seria o melhor recanto do palácio para se esconderem? Bom mesmo, era se tivessem uma poção que os tornasse invisíveis!

Debaixo da cama
da rainha

As gémeas subiram um pouco à toa, sempre receando que aparecesse alguém. Nenhum esconderijo lhes parecia suficientemente amplo para as duas, e como tinham resolvido ficar juntas andaram de um lado para o outro até que foram dar ao quarto da rainha Dona Amélia, que era o maior de uma longa série de aposentos destinados às damas da corte.

A cama, bastante larga, oferecia o que pretendiam porque estava coberta por uma linda colcha de seda chinesa e tinha ainda um folho grosso de pano grená até ao chão.

— Debaixo da cama ninguém nos vê!

Teresa levantou o folho de pano grená e espreitou. O retângulo escuro e protegido por todos os lados pareceu-lhe magnífico. Podiam estender-se ao comprido, descansar e ir controlando o que se passava cá fora sem ninguém sonhar que estavam ali.

— Lembras-te de quando éramos pequenas e nos escondíamos debaixo da cama da mãe?

— É verdade! Às vezes fingíamos que era uma gruta na montanha.

— E nós duas ursas com imensos filhos de peluche!

— Meu Deus, já foi há tanto tempo!

Divertidas com as recordações da infância quase esqueceram o que estavam ali a fazer.

— Este quarto dava lindamente para brincar às princesas! Parece tudo arranjado para receber alguém, já reparaste? Olha aqui o pequeno-almoço num tabuleiro.

Teresa aproximou-se de uma mesinha redonda onde os empregados tinham colocado um bule, uma chávena, e até pratos com queijadas de Sintra e bombons. O pequeno-almoço da rainha.

— É engraçada esta maneira moderna de organizar os museus. Em vez de porem as coisas em vitrinas, com o ar distante de quem está ali só para ser admirado, colocam tudo no lugar certo, como se ainda estivesse a uso.

— Pois é. Fica bonito. Mas o que eu gostava de saber é se os doces são falsos ou verdadeiros.

— Isso só provando...

— Não era má ideia. Estou com tanta fome!

— Achas que se comermos as queijadas é roubar?

— Humm, não. Amanhã podemos comprar doces iguais e entregá-los na portaria.

Luísa, com água a crescer na boca, não resistiu e trincou dois bombons ao mesmo tempo.

— Ai...

— O que foi?

— São de gesso! — disse ela, cuspindo para a palma da mão. — Bâ! Que porcaria. E agora? O que é que faço a isto?

«Isto» eram pedacinhos de gesso mastigado. Teresa olhou em volta e o único recipiente que lhe pareceu adequado foi um penico de loiça antiga, muito fora do vulgar pois tinha tampa!

— Deita os restos no penico da rainha!

Perdidas de riso apressaram-se a apagar os vestígios da sua refeição frustrada e enfiaram--se debaixo da cama. Teresa já se ia acomodar, quando teve uma ideia e voltou para trás.

— Lá porque os bombons são de gesso, não quer dizer que as queijadas também sejam!

De regresso ao esconderijo, levou consigo o pratinho dos doces. Assim, o primeiro quarto de hora foi para elas uma grande galhofa. Estendidas de barriga para baixo, observavam o chão pela frincha minúscula entre as tábuas e o folho grená. Se aparecesse alguém, viam-lhe os pés. E entretiveram-se a debicar nas queijadas.

— Não percebo se são verdadeiras e estão secas ou se são de papel amassado e tingido de castanho — disse a Luísa em surdina.

Teresa provou, mastigou, hesitou um instante e engoliu.

— Acho que são verdadeiras.

— Tens a certeza?

— Tenho. É impossível fazer doces de papel com este saborzinho.

— E se o perfumassem com essência de queijo?

— Se perfumassem o quê?

— O papel.

— Estás doida?

— Estou doida por comer uma queijada! E se forem de papel até dá jeito porque me tapam o buraco do estômago...

— Ah! Ah! Ah!

Claro que não ficou nem um doce para amostra. O pratinho arrumou-se a um canto e a impaciência fez a sua aparição na alma das gémeas.

— Tomara que aconteça alguma coisa!

Como se um ente mágico quisesse atender imediatamente o pedido da Luísa, as luzes apagaram-se. Elas não disseram nada mas chegaram-se uma para a outra com o coração a bater muito.

«O palácio fechou», pensavam. «É natural que apaguem as luzes.»

Mas no fundo, lamentavam que assim fosse. No escuro a mínima coisa ganha enormes proporções. O estalar da madeira transforma-se no som mais arrepiante, o piar da coruja parece um assobio de mau agoiro, uma ponta de medo engorda até ficar com os contornos nítidos do grande pavor.

— Onde é que estarão os outros? — perguntou Luísa, tentando disfarçar a sua inquietação. — Foi estupidez separarmo-nos.

— Pschiu! Cala-te que vem aí alguém.

Muito quietas, ficaram à escuta. De facto ouviam-se passos, muito leves, cautelosos.

— Quem será?

— Não fales, não faças barulho.

Com os olhos já habituados à escuridão, perceberam que uma lampadazinha minúscula ficara acesa pois através da frincha rente ao chão coava-se uma tímida claridade.

— Deve ser a lamparina que acendiam à noite para a rainha não ter medo.

— Achas que a rainha tinha medo de dormir aqui?

— Não sei. Schiu!

Fosse quem fosse que percorria aquela ala de quartos, parara um instante e depois retomara a marcha em bicos de pés. Teresa não aguentou mais e com as mãos trémulas levantou uma ponta do folho. A única coisa que vislumbrou foi um vulto que, encarado de baixo para cima, parecia enorme. E ouviu-lhe a respiração irregular de quem está sufocado ou aflito.

Ao seu lado a irmã tremia de medo.

— O que é? — perguntou num tom quase inaudível.

— Não sei.

De súbito alguma coisa estalou. «Nhiec...» Seguiram-se vários ruídos confusos e uma exclamação abafada: «Ah!» O vulto recuou, desequilibrou-se e caiu desamparado no soalho. Se não estivessem tão assustadas, reconhecê--lo-iam imediatamente, mas assim demoraram a perceber que se tratava do João.

— Tu?

— Quem está aí?

— Somos nós. As gémeas!

Teresa deu-lhe um esticão à camisola e puxou-o para debaixo da cama.

— Fica connosco! — pediu.

João não se fez rogado. Não lhe apetecia nada andar sozinho naquele palácio que ao anoitecer se tornava imenso e tão misterioso como assustador! Já se tinha magoado na porta de um armário, e tropeçara em qualquer coisa, aleijando-se bastante na queda. Portanto instalou-se da melhor vontade ao pé das suas amigas.

Todo encolhido suspirou:

— Oh! Quem me dera ter aqui o *Faial*!

— Também a mim.

Enrolada sobre si mesma para deixar mais espaço livre, Teresa sentia-se bastante mal.

— Dói-me o estômago — queixou-se. Foi das queijadas. Se calhar eram de papel.

— Vocês comeram queijadas de papel?

— Não sei.

— Hã?

— Nada. Esquece.

— Se nos fôssemos embora? — propôs a Luísa.

— Ou pelo menos procurar os outros. Sabes onde é que se esconderam?

— Não faço ideia.

— Mas podíamos ir procurar...

— Também acho.

— Então vamos.

— Sem barulho, hã?

Um a um gatinharam cá para fora e já se dispunham a ir em busca do resto do grupo quando um ronco terrível ecoou pelas salas, salinhas, quartos e salões. «CROÁ... CROÁ... CROÁ...!»

Ondulando pelas paredes, crescia, fazia eco e tornava-se cada vez mais forte, cavernoso.

Espavoridos, atiraram-se de novo para debaixo da cama e desapareceram como três coelhos na toca.

Capítulo 8

Atrás do retrato do rei

Pedro ouviu o mesmo ronco e ficou sem pinga de sangue!

Tinha-se escondido há um bom bocado no salão de baile atrás de um retrato enorme do rei D. Fernando que em vez de estar na parede estava no chão, preso por umas barras de madeira. Pouco depois aparecera Magda. Pediu-lhe por tudo para ficar ali pois tinha medo de andar sozinha e não conseguia esconderijo capaz. Ele não se importou, mas duvidou. Ou melhor, teve a certeza de que a rapariga mentia porque os olhos verde-água faiscavam e a cicatriz ia-se tomando mais vermelha do que nunca enquanto dava inúmeras e desnecessárias justificações.

— Enfiei-me num armário mas era pequeno. Depois tentei debaixo da cama dos príncipes e foi impossível. Atrás dos cortinados viam-me os pés...

— Pronto, pronto! Não há problema, ficas comigo.

Para dizer a verdade, a ideia agradava-lhe bastante. Como não era parvo, já percebera que ela fazia olhinhos aos rapazes em geral. Parecia disposta a namorar com os três, mas se fossem seis ou sete, o resultado era o mesmo! De qualquer forma, na hora de se esconder, preferia-o a ele, Pedro. Sendo o Chico mais alto e mais forte, o caso só podia ter uma explicação.

«Gosta um bocadinho mais de mim», pensou. «Se calhar aprecia o "tipo intelectual".»

Radiante, aconchegou os óculos no nariz e vasculhava a memória à procura de uma frase inteligente para a impressionar, quando ela se aproximou e sem mais nem menos, zás! Enfiou-lhe o braço.

— Estou a tremer de medo — disse. — Vai acontecer qualquer coisa terrível...

Aquilo desgostou-o um bocado.

«Esta miúda é aldrabona até dizer chega», pensou de si para consigo. «Por que raio andará sempre a inventar histórias? É tão bonita que não precisa de chamar a atenção com patetices. Mas as mentiras que inventa acabam por se tornar cansativas!»

Ela apertava-lhe o braço com força e falava sem parar. A única maneira de aquele momento continuar agradável era não dar atenção ao que dizia! Pedro concentrou-se nos olhos verde-água, no cabelo preto, no narizinho arrebitado e tentou desesperadamente fechar os ouvidos. Uma frase no entanto rompeu todos os obstáculos.

— Acho que estou a viver os momentos mais emocionantes da minha vida! — disse.

Mesmo sem querer, ficou vaidosíssimo. Mas logo a seguir a parvalhona estragou tudo.

— Quando subi o rio Amazonas com os meus pais e deram alarme de incêndio a bordo, não me enervei tanto.

Impossível não responder! Irritado afastou--se ligeiramente e aconselhou:

— Deixa-te de tretas, sim?

A conversa não foi mais longe porque faltou a luz. Só não ficaram completamente às escuras devido a uma ténue claridade do exterior. O salão de baile adquiriu então um aspeto sinistro. Móveis, quadros, loiças, candeeiros, cortinados e estatuetas transformaram-se em vultos ameaçadores que viam projetados no grande espelho em frente.

Pouco depois soou o ronco: «CRÓ... CROÁ... CROÁ.» E não tiveram que esperar muito pela peripécia seguinte. Tal como nos filmes de terror, viram surgir uma figura humana ao longe. Caminhava devagar, com mil cautelas para não embater em nada e trazia uma vela na mão. A chama tremeluzia dançando no espelho.

— Vamos fugir daqui — disse o Pedro num sussurro.

— Para onde?

— Não sei, mas quero encontrar os outros.

Magda hesitava, assustadíssima. O homem ia avançando lentamente. Já estava a meio do salão e parecia resmungar qualquer coisa entredentes.

— Quando eu der sinal, vem atrás de mim.

— Que sinal?

— Conto até três.

Para tomar coragem encheu o peito de ar e começou:

— Um...

A figura do homem deslizando por entre as mobílias fê-lo pensar em algo que nada tinha que ver com a situação.

— Não percebo como é que a família real conseguia dançar.

— Hã?

— O salão está cheio de tralhas. Não percebo onde é que dançavam.

Ela encolheu os ombros e choramingou:

— Vamos embora, por favor!

Pedro retomou a contagem:

— Um... Dois... Três!

No mesmo minuto largaram a correr. Só que ele saiu pela direita e ela pela esquerda a grande velocidade.

Colhido de surpresa, o homem deixou cair a vela, que se apagou, e deu um berro:

— Quem está aí?

Não obtendo resposta, foi em perseguição dos intrusos. Meio tonto, virou à direita repetindo sempre:

— Quem está aí? Quem anda aí?

Entretanto Magda avançava aos tropeções, abria portas ao acaso e clamava:

— Socorro! Socorro!

Tateando no escuro encontrou uma maçaneta de porta. Não fazia a mínima ideia onde se encontrava, mas como tinha medo de voltar para trás abriu e alguém que estava lá dentro deitou-lhe as mãos ao pescoço.

— Soco...

O som morreu, abafado na garganta.

Quase sufocada, com as lágrimas a quatro e quatro pela cara abaixo, ainda arranjou forças para se defender com uma pisadela que atingiu o alvo pois ouviu-se um gemido. Mas o efeito foi terrível!

Sem poder fazer nada para evitar a agressão, viu o homem pegar numa estatueta de pedra, levantar o braço e desfechar-lhe uma pancada na cabeça com toda a força.

A última coisa que sentiu foi uma dor fina, aguda. Depois desmaiou.

Capítulo 9

Não pode ser!

Chico esfregou os olhos e beliscou-se para ter a certeza de que estava acordado. O que via diante de si não existia, não tinha lógica, só podia fazer parte de um sonho mau!

Quando partira em busca de um esconderijo, andara um bom pedaço às voltas. Gostaria de se esconder no ateliê de pintura do rei D. Carlos mas, embora atafulhado de telas e cavaletes, não oferecia qualquer recanto possível.

Depois de várias tentativas frustradas acabou por se instalar na banheira de uma casa de banho antiga e bastante cómica. Não ficou lá muito tempo porque faltou a luz.

— Aqui sozinho e às escuras, nem pensar!

Saiu então, sorrateiro que nem um gato, e foi mesmo para o tal ateliê onde se sentou no banquinho que o rei utilizara para pintar. Muito quieto pôs-se à coca. Do sítio onde estava via perfeitamente o pátio quadrado com um jardim ao meio que alguém lhe dissera chamar-se claustro.

— Se aparecer o guarda, piro-me! — decidiu.

Quando soaram os rugidos deu um salto e atirou-se de cabeça. Ia cheio de medo mas disposto a lutar.

Depois apareceu «aquilo». Atónito julgou-se a meio de um pesadelo porque não era homem, nem mulher, nem bicho, nem fantasma. Era um tritão, um homem marinho com as pernas cobertas de escamas, cabelos compridos misturando-se com a barba, uma bocarra aberta, enfim, igual em tudo à escultura de pedra que ornamentava as paredes do lado de fora. Passeava na outra ponta do claustro e era ele quem produzia aqueles roncos fenomenais.

— Sexta-feira 13! — balbuciou atarantado.

— O Sr. Raposo tinha razão. É incrível!

Quem o arrancou do pasmo foi a voz do Pedro chamando por entre gritos e correrias:

— Chico! Socorro, Chico!

Não foi preciso mais nada para se lançar escada acima e, orientando-se pelo barulho, depressa chegou onde ele queria.

Pedro acabava de ser apanhado pelo guarda, por aquele jovem guarda que vivia dentro do palácio.

— O que vem a ser isto, hã?

Entretanto os roncos tinham desaparecido e a voz do rapaz soava gélida.

— O que é estão aqui a fazer?

— Bom. Não se enerve que eu explico — pediu o Pedro com bons modos. — Não é nada de mal.

Exasperado o guarda não respondeu e deu-lhe um encontrão.

— Calma aí! — berrou o Chico. — Nós queremos falar consigo a bem, mas se você prefere tareia, é só dizer!

E já arregaçava as mangas.

Pedro tentou evitar a briga.

— Por favor acalmem-se. Eu vou explicar...

— Ai vais, vais! E a primeira coisa que quero saber é muito simples.

— O que é?

— Como é que fizeste aqueles roncos pavorosos?

— Eu?!

— Sim, quem é que havia de ser?

Para grande espanto do Pedro, o Chico tomou a palavra e disse um disparate inacreditável:

— Quem andou para aí aos roncos não fomos nós, foi o Tritão. Eu vi.

Pedro fez-se de todas as cores. Que vergonha! Apeteceu-lhe zangar-se e ralhar com o Chico por estar a dizer idiotices, mas naquelas circunstâncias era preferível manterem-se unidos. O que pensaria o guarda se além de tudo o mais ainda se pusessem a discutir? Aparentemente não pensava nada. Limitava-se a olhá-los, absorto. Pouco depois, fez-lhes sinal para que o seguissem e levou-os para outra sala. Sempre cabisbaixo, abriu a porta de um armário enorme e apontou lá para dentro. Pedro e Chico ficaram admirados. O armário teria alguma coisa a ver com a história do Tritão? O homem insistia.

— Vejam! — disse. — Espreitem.

Desprevenidos caíram na esparrela pois espreitaram mesmo e quando enfiaram a cabeça no armário foram violentamente empurrados lá para dentro e fechados à chave. Mudos de espanto, não reagiram logo. O guarda soprou-lhes então pelo buraco da fechadura.

— Fiquem aí quietinhos a sonhar com visões! Eu vou fazer uma ronda, ver se falta qualquer coisa no palácio e chamar a polícia.

— Antes de se afastar ainda acrescentou: — Se aparecer o Tritão, deem-lhe cumprimentos da minha parte, sim?

Chico atirou-se contra a porta tentando arrombá-la mas Pedro segurou-o.

— Está quieto, pá!

— Porquê? Não queres sair daqui?

— Quero! Mas com essa fúria ainda viras o armário e depois é que não conseguimos sair.

Reconhecendo que assim era, Chico deitou as mãos à fechadura. Impossível rebentá-la sem qualquer instrumento.

— Tenho medo de sufocar.

— Acalma-te. Há oxigénio suficiente para um bom bocado, mas não respires fundo, hã?

Bastou que lhe dissesse aquilo para o Chico sentir uma falta de ar horrível. E Pedro, ao contrário do que aconselhava, pôs-se a barafustar, elevando bastante o consumo de oxigénio.

— A culpa é tua. Para que é que foste inventar a história do Tritão? Julgas que o tipo é parvo?

— Eu não inventei, juro!

Escarlate de raiva Pedro teve de fazer um grande esforço para não lhe dar um soco. E preferiu atirar as culpas para cima de outra pessoa.

— É o que dá, andarmos com aldrabões. Deixaste-te influenciar pela Magda que é uma mentirosa e agora resolveste inventar petas e impingi-las a toda a gente! Até a mim, que sou o teu maior amigo!

Chico tapou os ouvidos e repetiu.

— Eu vi o Tritão! Juro! Juro! Juro! — depois queixou-se: — Andar com mentirosos é terrível, sabes? Mas não fui eu que me tornei mentiroso, tu é que te tornaste desconfiado.

Um pouco adiante o guarda escutava o que diziam, curiosíssimo. E julgou perceber a história. Um dos rapazes, mais ajuizado e decente, ralhava com o amigo por inventar parvoíces.

«Más companhias!», pensou. «Aquele miúdo dos óculos se calhar foi arrastado para aqui e agora está aflito. Enfim, vamos lá a ver se roubaram alguma coisa.»

Deu meia volta, atravessou de novo o salão de baile e quando transpunha a porta do fundo sentiu uma pancada na cabeça tão forte, tão violenta, que perdeu os sentidos e caiu redondo no chão.

O embate do corpo no soalho provocou um ruído surdo mas passou despercebido porque coincidiu com o início da tempestade. Ventos ciclónicos levantaram-se em remoinho, numerosos relâmpagos encheram o céu de tiras arroxeadas e os trovões ecoaram pela serra em estrondos sucessivos.

Debaixo da cama da rainha as gémeas e o João encolheram-se ainda mais. Pior do que a trovoada era a tremedeira das vidraças que dançavam nos caixilhos quase a pontos de se estilhaçarem!

— Pobre *Caracol*, deve estar encharcado! — disse a Luísa. — Coitadinho.

— O *Faial* protege-o. Não te aflijas pois com certeza abrigaram-se numa guarita.

Teresa, já bastante enervada e impaciente, resolveu tomar uma atitude.

— Estamos a ser parvos, sabem? Não há motivo para continuarmos neste palácio infernal. Vou sair daqui, procurar os outros e ala para casa da Magda!

— O pior são os guardas.

— Quero cá saber dos guardas! Não me podem prender porque não fiz mal nenhum. Com certeza dão-nos um raspanete e mandam-nos embora.

Luísa aprovou com entusiasmo. Cheia de esperança de que o homem, em vez de se zangar, lhes achasse graça e resolvesse convidá-los para uma ceia, foi a primeira a rastejar cá para fora. Assim que se pôs de pé, recuou dois passos e ficou à escuta. Por entre os assobios da ventania insinuava-se um ruído abafado, diferente, com altos e baixos, pequenas interrupções, como se duas pessoas discutissem dentro de um poço.

— Que é isto? — perguntou a Teresa.

Luísa colocou o dedo na frente da boca e soprou:

— Pschiu!

Mas Teresa não estava disposta a esperar mais tempo. Desejosa de saber o que se passava enveredou por aquele autêntico corredor de salas, salinhas e saletas em bicos de pés. Os outros foram atrás e, apesar da inquietação, do medo, ainda tiveram ânimo para reparar num pormenor esquisito. A luz que vinha do exterior não era branca como quando há lua, nem roxa como quando troveja, mas sim encarniçada! Só não fizeram comentários sobre o assunto porque Teresa parou diante da porta de um armário

colossal. Espantados, viram-na perguntar para a fechadura:

— Quem está aí?

A resposta veio pelo mesmo caminho.

— Somos nós!

— O Pedro e o Chico!

Radiante por ter encontrado os amigos, João acotovelou as gémeas e plantou-se à frente.

— Saiam depressa. Estamos todos juntos!

— Todos não, falta a Magda.

— Ela está com vocês?

— Não. Ouçam...

Luísa deitou a mão ao fecho e tentou puxar. Como a porta não cedeu, ficou admirada.

— Fecharam-na à chave?

— Sim.

— Então abram.

— Não podemos.

— Porquê?

— Não temos a chave.

— Francamente! — gritou o João zangadíssimo. — Nós aqui à espera e vocês a gozar.

— Não estamos a gozar, pá! Foi o guarda que nos fechou aqui dentro. Por favor procurem-no!

— Sim. Peçam-lhe que nos liberte. Senão rebento isto a pontapé.

As gémeas tiveram a certeza de que a ameaça era vã, porque se o Chico tivesse alguma hipótese de rebentar aquilo a pontapé, já o tinha feito. Lá dentro até mexer um músculo deveria ser difícil. E o ar? Não teriam falta de ar? Ansiosas por valerem aos amigos, correram à toa, chamando.

— Senhor guarda! Senhor guarda, por favor!

Não se preocuparam em verificar se o João ia atrás delas porque tinham a certeza de que sim. Embora distanciados, ouviam-lhe os passos e a respiração ofegante.

Capítulo 10

Quantos são?

Luísa tomara a dianteira, portanto foi ela quem tropeçou no corpo e estatelou-se-lhe em cima com um berro de aflição.

— Aiii!

Dois relâmpagos seguidos iluminaram o aposento e Teresa viu, horrorizada, aquilo que julgou ser um homem morto. O susto foi de tal ordem que ficou sem fala. Felizmente para ambas, Luísa recuperou o sangue-frio e resolveram averiguar de imediato o que tinha acontecido ao guarda.

— Está desmaiado — disse. — Não te aflijas que está só desmaiado.

— Como é que sabes?

— Porque respira.

— E agora?

— Agora é muito simples, tiro-lhe as chaves da cintura e vou libertar o Pedro e o Chico. Depois se verá o que havemos de fazer mais.

— Isso, isso! Eles devem estar maldispostíssimos ali enfiados.

Juntas apressaram-se então a cumprir as tarefas necessárias para abrir a porta do malfadado armário. Ainda demorou, porque as chaves eram mais que muitas, mas por fim lá acertaram e «clic... clic», rodou a fechadura para grande alívio dos prisioneiros.

— Safa! — exclamou o Chico. — Nunca me senti tão apertado na minha vida! Obrigadíssimo.

Pedro abraçou-as carinhosamente.

— Oh! O que seria de nós sem as famosas gémeas!

Elas ficaram radiantes, claro.

— O João? — perguntou a Luísa. — Só falta ele para o grupo ficar completo.

— E a Magda.

A resposta do Pedro foi inesperada.

— Essa não é do grupo. Trata-se de uma amiga eventual.

Se as gémeas estavam contentes, mais contentes ficaram ao ouvir aquilo. Os rapazes teriam finalmente percebido que a outra era uma parva? Apetecia-lhes bastante perguntar mas antes de mais queriam saber do João.

— Onde é que ele está? Hã?

— Não foi com vocês à procura do guarda?

Teresa e Luísa trocaram um olhar interrogativo.

— Eu julgava que sim — disse uma.

— Também eu.

— Julgavam? Que disparate é esse? Ele não é invisível.

— Pois não. Mas vinha atrás de nós a correr. Ouvíamos-lhe os passos.

— E então?

— Não sei. Quando tropecei no corpo, acho que esqueci tudo o resto.

— Tropeçaste num corpo? — perguntou o Chico, admirado.

— Tropecei no corpo do guarda. Ele desmaiou no salão de baile.

— Porquê?

— Sei lá!

— E vocês não diziam nada?

— Ora! Julguei que não fosse preciso — disse a Teresa.

Luísa concluiu a frase da irmã como tantas vezes acontecia:

— Onde é que pensas que arranjámos as chaves?

— Tens toda a razão — disse o Chico, trocista. — Basta olhar para essas chaves e ficamos a saber que o dono perdeu os sentidos.

— No salão de baile e em nenhum outro lugar! — acrescentou Pedro no mesmo tom.

Abespinhadas responderam com maus modos:

— Parvos!

Eles pouco se importaram com o insulto. O que era preciso era encontrarem os outros! Mesmo sem combinarem, puseram-se a gritar:

— Jo-ão! João!

— Magda! Magda!

Ninguém respondia. O rosto do Chico ensombrou-se.

— O que foi?

— Sentes-te mal?

— Não — gaguejou ele. — É que... que...

— Desembucha, pá!

— Tenho medo de que lhes tenha acontecido alguma coisa grave.

— Porquê?

— Porque... sabem, eu vi um tritão.

As gémeas ficaram tão surpreendidas que nem retorquiram. Pedro, esse, mostrou-se irritado:

— Lá estás tu com essa estupidez!

— Mas eu vi, juro!

Pedro virou-se para elas e explicou:

— Este nosso amigo ou está «pírulas», ou foi atacado de «Magdalite aguda». Resolveu inventar histórias para se fazer interessante.

— Ah! Vocês já perceberam...

Chico não a deixou acabar.

— Não sei se a Magda inventa ou não inventa histórias. Agora posso-te garantir que eu vi um tritão a passear no claustro. Era igual ao boneco de pedra e dava roncos incríveis. Vocês não ouviram uns roncos incríveis?

Difícil aceitar que aquilo pudesse ser verdade. Mas Chico falava como quem não mente. E pelo menos os ruídos eram um facto! Indecisos, ficaram em silêncio. O Sr. Raposo jurara a pés juntos que nas noites de sexta-feira 13...

Uma figura cambaleante interrompeu-lhes o pensamento. Chico e Pedro não se assustaram porque reconheceram de imediato o guarda. Pelos vistos recuperara do desmaio e estava ali, bastante pálido, diga-se de passagem. A primeira coisa que perguntou foi:

— As minhas chaves?

Luísa entregou-lhe o molho e ficou à espera. Com certeza ia descompô-las! Mas ele continuou a falar com uma calma estranha, artificial.

— Não sei quem vocês são, como é que ficaram no palácio a passar a noite nem quais são as vossas intenções, por isso já chamei a polícia e o diretor.

— Escute — começou o Pedro.

— Não escuto coisíssima nenhuma. Quem me deu uma pancada na cabeça tem de ser castigado.

— Com certeza — disse o Chico. — Mas o senhor sabe perfeitamente que nós não fomos porque nos deixou fechados à chave no armário.

O homem fez de conta que não ouviu. Levou

a mão à nuca onde se formara um alto doloroso e queixou-se:

— Quase me matavam. A dor foi tão violenta que perdi os sentidos.

Outra figura cambaleante surgiu lá ao fundo.

— A Magda! — exclamaram todos em coro.

Atónito, o guarda viu aparecer mais uma rapariga. Caminhava devagar amparando-se aos móveis.

— O palácio esta noite transformou-se em creche — resmungou —, quantos é que vocês são?

— Seis.

— Só falta um — disse a Luísa. — O senhor por acaso não o viu?

Julgando que o estavam a gozar, não respondeu. Para quê incomodar-se? A polícia não tardaria a chegar. Calado que nem um rato viu a miúda dos olhos verdes aproximar-se com ar muito sofredor. Era tão bonita! Por muito zangado que estivesse, uma pessoa assim não lhe passava despercebida.

«Tenho a impressão de que já vi esta cara», pensou. «Que grande borracho!»

Enquanto isso, ela choramingava no meio dos outros.

— Deram-me uma pancada na cabeça! — disse. — A dor foi tão violenta que perdi os sentidos.

Em vez de a consolarem, responderam-lhe torto:

— Mentirosa!

Ela recuou, desamparada como se lhe tivessem batido. Então a primeira vez que tinha uma aventura a sério para contar ninguém acreditava?

Luísa encarou-a com agressividade.

— Estás com falta de ideias, é? — e sem esperar pela resposta prosseguiu com as acusações: — Ouviste o guarda contar o que lhe aconteceu e resolveste imitá-lo?

— Eu?

— Sim. Passas a vida a aldrabar toda a gente, a inventar histórias, por que é que não inventas uma agora, hã? Por que é que resolveste imitar o guarda?

— Vocês podem não acreditar em mim. Talvez até tenham razões para isso. Mas apanhei uma traulitada na cabeça, juro!

Só o Chico vacilou. Se calhar era mesmo verdade. Em vez de a defender, sugeriu:

— Estou convencido de que há mais gente no palácio. Alguém bateu no guarda, não foi?

Viraram-se todos para ele ao mesmo tempo. Mas o homem já não estava lá. Tinha sumido.

Capítulo 11

Pancadaria noturna

— O guarda desapareceu, o João também. Temos que ir buscar o *Faial* para nos ajudar a encontrá-los.

— O pior é que as portas estão fechadas.

— Se saíssemos pela janela?

— Qual?

Ainda se aproximaram do vão mas as vidraças eram muito altas. Mesmo que subissem aos ombros uns dos outros, não havia maneira de saltar para o lado de fora sem se magoarem.

Magda, que conhecia melhor o palácio por o ter visitado muitas vezes durante os ensaios, lembrou-se de propor:

— Podemos tentar sair aqui pela cozinha. As portas são mais frágeis, estão trancadas por dentro e dão acesso a um pátio.

À falta de melhor ideia, aceitaram aquela e lá foram. A única luz que lhes iluminava o caminho era a inexplicável claridade vermelha que se derramava do exterior. O facto de estarem juntos enchia-os de coragem, mas apesar disso todos se mantinham alerta não fosse aparecer do escuro uma «mãozinha marota» para lhes bater. Já muito perto da cozinha ouviram um «tic... tic...» que os deixou em sobressalto. Logo a seguir, porém, foi a maior das confusões! Chico, que encabeçava o cortejo, tropeçou e caiu sobre alguém que se defendeu pregando-lhe um murro no estômago. Ele emitiu um som cavo, «beââ», mas não se ficou. Ergueu o braço direito e desfechou uma pancada fortíssima ao acaso. Por sorte atingiu o agressor em cheio no nariz. Ignorando com quem lutavam, envolveram-se todos à pancada, meninas e tudo, cada um deitando a mão ao que encontrava a jeito para utilizar como arma. O mais estranho é que ali só havia coisas levíssimas! Bicudas, compridas ou redondas, mas todas elas ocas. Como estava escuro não percebiam de que se tratava. Que seria aquilo? Brinquedos? Pelo sim pelo não, foram atirando a eito. No meio da barafunda Pedro encontrou um cesto com asas e não pensou duas vezes! Agarrou nele como se fosse um chicote e zurziu o inimigo até o ouvir gritar.

— Basta! Rendo-me.

Entretanto as gémeas tinham encontrado o fecho das portadas de madeira e, após um grande esforço, conseguiram abri-las de par em par. Como o vento dissipara as nuvens a Lua brilhava agora em todo o seu esplendor, puderam finalmente perceber com quem lutavam.

— O eletricista!

Ele levantou-se resmungando e ficou a meio da cozinha com o cabelo e a roupa em desalinho.

— O que é que o senhor está aqui a fazer? — perguntou o Chico.

— Essa agora! O que é que vocês têm com isso?

— Não têm eles mas tenho eu! — declarou o guarda, que entrou de surpresa com uma lanterna na mão. — O que é que estás aqui a fazer, Macário?

Não houve resposta. O jovem guarda, no entanto, devia ser corajoso pois embora julgasse ver-se rodeado de bandidos, manteve-se firme. O eletricista ainda fez menção de fugir mas ele barrou-lhe o caminho.

— Daqui não sai ninguém enquanto não devolverem o que roubaram.

Um coro indignado elevou-se imediatamente.

— Nós não roubámos coisa alguma!

— Nem eu.

O guarda riu-se.

— Ah! Ah! Ah! Os criminosos negam sempre os seus crimes. Mas a polícia está a chegar.

Lá fora um cão ladrou com força.

— Au! Au! Au!

— Ouvem? — perguntou ele, radiante. — Não demoraram nada!

Enganava-se porém. Quem lá vinha era o *Faial* seguido pelo pobre *Caracol*, assustadíssimo! Nunca na sua vida tinha passado uma noite assim. Que teria dado na cabeça das donas para o abandonarem ao relento sem comida, num sítio estranho onde chovia a potes e o céu parecia estoirar? Que mal teria ele feito para merecer um castigo tão grande? Teresa e Luísa pegaram-lhe carinhosamente. Fizeram-lhe mil festas, sacudiram-lhe o pelo, falando com doçura:

— Coitadinho!

— Ias morrendo de susto!

Faial, aflito, nervoso, farejava em redor como quem pergunta: «O João? Onde está o João?»

De súbito enveredou por uma passagem e seguiu numa correria soltando uivos assustadores.

— Achou-lhe a pista! — disse logo o Pedro. — Vamos atrás dele.

O guarda ainda tentou impedi-los, mas como não conseguiu agarrou o eletricista por um braço e foi também arrastando-o consigo. A única forma de não deixar escapar nenhum dos possíveis culpados era mantê-los todos juntos.

O cão deteve-se diante de uma porta fechada. Agora ladrava furiosamente. Tinha o pelo eriçado e o corpo em posição de ataque.

Lá dentro estava tudo mergulhado no mais absoluto silêncio.

— João! Estás aí, João? — chamaram em grupo.

As gémeas colaram o ouvido à madeira e pareceu-lhes escutar qualquer coisa como um lamento abafado.

O guarda afastou-os, meteu a chave na fechadura e tentou abrir. Impossível! Estava trancada.

— Quando chegar a polícia isto arromba-se num instante!

Chico, impaciente, recuou dois passos e atirou-se de encontro às tábuas ao pontapé. A porta estremeceu, rangeu, mas continuou intacta após o primeiro embate. Ele não desistiu; como um autêntico toiro tresmalhado, pôs-se aos coices, aos murros, aos encontrões, com tal violência que a madeira cedeu e «Crrr... Crrr... Crás... Pam!», duas tábuas caíram do outro lado com as bandas transformadas em farripas cortantes. *Faial* transpôs o buraco rápido como um pensamento. O seu corpo felpudo abateu--se sobre o pobre João que alguém amordaçara e prendera com cordas. Chico foi o segundo e já fazia menção de soltar o amigo quando percebeu que ele esticava a ponta do pé na direção da varanda. Correu para lá, mesmo a tempo de impedir que um casal de meia-idade mas bastante ágil descesse por uma corda que tinham preparada.

A excitação redobrara-lhe a força e portanto pôde lançar a mão direita ao pescoço do homem enquanto segurava a mulher pelos cabelos.

— Venham cá, meus amigos! — disse irónico. — Hoje não há passeiozinho na serra porque têm que nos explicar o motivo que os levou a prender o João.

Quando voltou a entrar na sala o guarda ia desmaiando.

— Mais dois? — balbuciou atarantado.

— Mais dois e menos um — respondeu o Pedro com desânimo. — Porque o eletricista aproveitou a barafunda e desapareceu!

Capítulo 12

Na sala
dos veados

As luzes acenderam-se como por encanto e puderam então observar o local onde se encontravam. Era uma sala estranhíssima, redonda, com cabeças de veado penduradas a toda a volta.

Ao meio tinha uma coluna em forma de tronco de árvore que ligava o chão ao teto.

Durante alguns momentos quedaram-se em silêncio. Quem se teria lembrado de construir uma sala daquele feitio? Não servia para quarto, nem para casa de jantar, nem para receber visitas. Mas era atraente, misteriosa, como o aposento secreto de um palácio de conto de fadas.

Encantados, viraram-se para um lado, viraram-se para outro. Só as gémeas ficaram alheias àquela «magia circular». Não desviaram os olhos do casal desde o primeiro minuto.

— Sempre suspeitei deles! — disse a Luísa.

— Também eu.

A mulher continuava baixa, gorda, com o cabelo às farripas. Agora o homem, sem o *anorak* vermelho-escuro, transformara-se completamente. Afinal era esquelético e possuía um tronco em perfeita harmonia com as pernas. O que escondera junto ao corpo estava patente aos olhos de todos: ferramentas. Muitas ferramentas espalhadas pelo chão.

Foi o guarda quem os interpelou:

— Podem explicar o que andam aqui a fazer?

Eles encolheram os ombros e falaram com uma pronúncia muito carregada de erres.

— Estamos aqui porrr causa do goverrrno porrrtuguês.

— Como?

— É a perrrfeita verrrdade. A culpa é do goverrrno! Nós querrríamos negociarrr... não fomos rrecebidos!

João, que esfregava os pulsos e os tornozelos doloridos, explicou:

— Sabem o que é que eles andaram a fazer? A raspar essa coluna central. Olhem aqui e ali. Tem marcas de raspadeira.

De facto havia imensas esfoladelas no estuque e pedaços de caliça espalhados em volta.

— Cada vez percebo menos! — exclamou o guarda em desespero. — Roubam coisas, prendem-se uns aos outros e ainda por cima acabam a fazer riscos na parede! Isto parece um manicómio. O que é que vou dizer ao senhor diretor? Na certa sou despedido.

— Calma, Jorge — disse o diretor, que fez uma espécie de entrada triunfal com o chefe da polícia e três agentes. — Calma.

— Oh! Ainda bem que apareceu! Acredite que não tive culpa. Esta quadrilha assaltou o palácio. São muitos e eu sou só um mas não abandonei o meu posto.

— Está bem, Jorge. Acalma-te. Preciso de saber o que é que aconteceu afinal.

— Dê-me licença, senhor diretor — pediu o chefe da polícia. — Se não se importa faço eu as perguntas.

— Com certeza.

— Então vamos por partes. Como é que você deu conta de que tinha entrado gente no palácio?

Jorge tentou recordar exatamente o que fazia à hora em que ouvira aquela barulheira infernal.

— Bom, antes da ronda da noite fui trincar uma bucha de pão porque estava com fome.

— E depois?

— Depois, olhe, faltou a luz. E logo a seguir soaram uns roncos como nunca ouvi na minha vida. Apanhei um susto tremendo. Pareciam almas do outro mundo.

O chefe não se deixou impressionar.

— Não seriam os trovões? — perguntou.

Para grande espanto do chefe, a «quadrilha» respondeu com entusiasmo e grande solidariedade:

— Não!

— Nós também ouvimos...

— Eram roncos pavorosos.

Chico morria por dizer alto «quem roncava era um tritão». Mas se nem os amigos acreditavam nele, para quê tentar convencer os guardas?

— Bom, adiante. Estejam calados porque só interrogo um de cada vez.

Jorge retomou a palavra.

— Não ficámos completamente às escuras porque como sabe há uma luz vermelha na torre do relógio por causa dos aviões. Mesmo que falte a corrente, não se desliga porque tem um gerador próprio.

As gémeas entreolharam-se, sorrindo. Estava esclarecido o primeiro mistério! A luz avermelhada era afinal um simples «farol aéreo».

— Para me orientar, acendi uma vela e fui fazer a ronda. Nunca imaginei que o palácio estivesse infestado de ladrões, mas a verdade é que encontrei um destes «caramelos» a cada esquina. E por fim ainda apareceu mais este casal de «línguas de trapo».

O diretor não resistiu a meter a colherada.

— O que é que roubaram, Jorge?

— Tenho que ir ver melhor mas só dei pela falta da caravela de prata que tínhamos na sala de jantar!

— Quem roubou foram os estrangeiros — disse o João perentório. — Estamos inocentes e você tem obrigação de testemunhar a nosso favor porque quando entrou aqui viu muito bem que eu estava preso.

O guarda acenou que sim.

— Lá isso é verdade. Não posso negar que estavas preso a um canto.

Para esclarecer o assunto o chefe empurrou o João para o meio da sala e mandou o casal colocar-se na frente dele.

— Vamos lá a ver se as histórias coincidem. Tu, rapaz, conta o que se passou.

João falou com o maior à-vontade.

— O guarda do palácio tinha fechado os meus amigos num armário. Eu e as gémeas fomos à procura dele para pedir que os libertasse. Elas corriam à minha frente.

— E depois?

— Depois vi estes senhores esgueirarem-se por uma escada de caracol e segui-os.

— Não preveniste as raparigas?

— Não. Receei que o Pedro e o Chico sufocassem dentro do armário se elas demorassem muito a abrir a porta.

— E seguiste o casal de estrangeiros, porquê?

— Porque fiquei curioso. Àquela hora não devia estar mais ninguém no palácio senão o guarda, que vive aqui. E o nosso grupo.

— E o vosso grupo pretendia...

— Talvez o senhor não acredite, mas não queríamos fazer nada de mal. Escondemo-nos por brincadeira, por espírito de aventura.

— E porquê neste palácio?

Porque nos tinham contado histórias de fantasmas.

— Quem?

— Um antigo empregado, um velhote.

O diretor interrompeu:

— Já sei! Devem ter sido histórias do Sr. Raposo, O Jorge contou-me as fantasias que ele inventou para distrair um grupo de jovens.

Mas o chefe da polícia não estava disposto a ouvir falar de outros assuntos e disse ao João:

— Continua, se fazes favor. Vieste atrás dos estrangeiros e depois?

— Depois quando chegámos à porta desta sala deram pela minha presença e agarraram-me.

— Bateram-te?

— Não. Taparam-me a boca e prenderam-me.

— E que mais?

João encolheu os ombros:

— A mim não me fizeram mais nada.

— Roubaram alguma coisa?

— Que eu visse, não. Ele despiu o casaco e retirou dos bolsos uma data de ferramentas. Ela pegou num papelinho e pôs-se à procura de qualquer coisa pelas paredes. A certa altura deu um grito de alegria, falou com o marido numa língua que não entendo e foram os dois raspar a coluna do meio.

Magda, que estava ansiosa por uma oportunidade para se evidenciar, aproveitou assim que o João fez uma pausa:

— Com certeza foi este homem que me agrediu! Deu-me com uma estatueta na nuca e magoou-me imenso. Perdi os sentidos e fiquei com um galo. Vejam.

Marido e mulher entreolharam-se um instante e depois decidiram confessar.

— Batemos, sim senhorrr — disse ele.

— Não querrríamos testemunhas — continuou ela. — A nossa tarrrefa errra demasiado imporrrtante parrra nos deixarrrmos atrrrapalhar por intrrrometidos!

— Mas nada disto errra necessárrrio se as autorrrridades porrrtuguesas tivessem negociado connosco!

A afirmação era espantosa. Negociar? Com as autoridades portuguesas?

Capítulo 13

O tesouro
escondido

Quem explicou aquele mistério foi o próprio diretor.

— Esta senhora é descendente do arquiteto a quem o rei D. Fernando encomendou os planos para o Palácio da Pena. Não a reconheci logo, mas quando falou fiquei a saber quem era. Há cerca de um mês apareceu em Portugal com o marido e ambos tentaram negociar com vários ministros.

Negociar? O quê?

— O tesouro.

Agora o chefe da polícia era o único a mostrar-se admirado, porque o guarda conhecia a história e eles achavam perfeitamente normal que naquele palácio houvesse um tesouro!

O diretor continuou:

— É uma história que tem mais de cem anos e que, pelos vistos, ainda não acabou. No tempo da rainha Dona Maria II e do rei D. Fernando desapareceram misteriosamente as joias da coroa. Primeiro pensou-se que fosse um roubo mas depois correu a notícia de que estavam escondidas no Palácio da Pena, num esconderijo que o arquiteto preparara para as guardar. Eram joias lindas com muito ouro, brilhantes e outras pedras preciosas ([1]).

— E então?

— Os reis morreram sem revelar o segredo a ninguém.

— E as joias? Nunca mais apareceram?

— Não, quem apareceu foram estes senhores dizendo que são descendentes do arquiteto e que herdaram documentos onde vem a história toda e as indicações necessárias para encontrar o esconderijo.

O grupo olhou para o casal com interesse redobrado. Saberiam mesmo onde estava o tesouro?

A mulher, num linguajar deplorável, disse-lhes que tinha tentado negociar com o governo português. Não exigia nada de mais! Só

([1]) O desaparecimento das joias da coroa no tempo da rainha Dona Maria II é verdadeiro. Já nessa altura se espalhou a notícia de que estavam escondidas no Palácio da Pena. Em 1986 apareceu um casal dizendo que herdara do arquiteto, o barão de Eschweg, documentos que permitiam localizar o esconderijo do tesouro mas só revelavam se o Estado lhes reconhecesse o estatuto de achadores e os deixasse ficar com a parte que lhes competia por lei...

O negócio não se efetuou, pelo que ainda hoje ninguém tem a certeza se há ou não há um tesouro escondido no Palácio da Pena.

queria que lhe reconhecessem, e ao marido, o estatuto legal de «achadores» que segundo a lei portuguesa dá direito a uma parte do tesouro. Garantia que bastava um buraquinho minúsculo e que as paredes não seriam danificadas.

Claro que todos viraram a cabeça para a coluna em forma de tronco de árvore e Chico pensou:

«Se eu tivesse pedras preciosas, também as escondia ali!»

A mulher continuou a barafustar, dizendo que só se infiltrara no palácio às escondidas porque ninguém a quis ouvir. Era um desperdício deixar coisas tão valiosas dentro de uma parede.

— Bom — atalhou o diretor —, agora já todos sabemos onde é o famoso esconderijo!

— Enganam-se! — respondeu ela. — Raspei a coluna à procura de um sinal que não encontrei. Um sinal igualzinho ao que tenho neste papelucho, mas não julguem que lhe põem as patas em cima!

Furiosa, rasgou o papel em mil bocados. Só as gémeas não ficaram aflitas. Elas sabiam como era o desenho. Mais tarde haviam de tentar reconstituí-lo...

— Para já, o que me interessa não é um tesouro que desapareceu há cem anos — disse o polícia —, mas sim a caravela de prata que desapareceu esta noite. Portanto vamos todos para a esquadra esclarecer o assunto.

Fez sinal aos agentes que empurraram o grupo pela escada abaixo. De caminho, Jorge contou ao diretor que um dos elementos da quadrilha era Macário, o eletricista.

— O malandro conseguiu escapar!

— Isso pensas tu! Esse foi o primeiro a ser apanhado. Quando chegámos ao portão ia a fugir. Está no carro, à espera.

O carro era uma carrinha com grades. Diante da porta, Magda sentiu um arrepiozinho de prazer. Finalmente uma aventura a sério! Sabia muito bem que não podiam acusá-la de roubo, que no dia seguinte os pais iam buscá-la horrorizados com o sofrimento da sua filhinha e que pagariam o que fosse preciso para que a libertassem. Já antecipava o gozo de os estarrecer com uma choradeira, e de ir enriquecendo os factos com pequenos detalhes inventados para dar mais emoção!

«Se me tirassem uma fotografia na cela com um número no peito é que era bom!», pensou. «Se fizerem isso hei de esfregar os olhos para parecer que estou lavada em lágrimas. Na escola vai ser um sucesso! Aposto que até os professores têm pena de mim. E apaixonados, arranjo mais seis ou sete!»

As gémeas já tinham entrado para a carrinha

com o *Caracol*. Chico e João empurraram o *Faial* lá para dentro. Quando chegou a vez do Pedro, qualquer coisa o fez tropeçar, perder o equilíbrio e cair sobre o eletricista. Em vez de se levantar, gritou algo de tão inesperado que deixou os outros em suspenso:

— Descobri! Já sei onde está a caravela de prata!

Os amigos julgaram que mentia. Talvez tivesse um plano para distrair os guardas e poderem fugir.

Os guardas pensaram que ele, apavorado com a perspetiva de ser preso, resolvera confessar tudo, por isso chamaram o chefe.

— Sabes onde está a caravela? — perguntou.

— Sei — disse o Pedro muito seguro. — Não fui eu, nem foram os meus amigos, mas sei quem a roubou.

— Então quem foi?

— Já lhe digo. Pode confiar em mim.

E deixando os polícias estupefactos com a ousadia, tomou o comando das operações.

— Todos para a cozinha! — ordenou. — Incluindo os estrangeiros e o eletricista.

O cortejo atravessou o pátio e foi entrando. O espetáculo lá dentro era confrangedor! Tachos, panelas, cestos, alguidares, frutas e legumes de plástico, estava tudo espalhado na maior balbúrdia!

— Quem é que estragou a decoração da cozinha? — perguntou o diretor furioso.

— Fomos nós — confessou o Chico. — Andámos aqui à luta com o eletricista e atirámos-lhe com as frutas à cabeça.

Pedro dirigiu-se para a zona das chaminés. Muito senhor de si parou, voltou-se para o chefe, e abriu as mãos.

— Veja. Estão limpas, não é verdade?

O homem acenou que sim mas não percebeu onde ele queria chegar. Então Pedro, com gestos de prestidigitador, abriu a portinhola do forno do pão, enfiou os braços lá dentro e retirou, orgulhoso da sua descoberta, a caravela que todos procuravam!

— Quem escondeu isto aqui tem as mãos e os braços enfarruscados como eu agora tenho os meus!

O eletricista reagiu, tentando sacudir a fuligem que lhe cobria a pele e a roupa. Tarde de mais!

Vendo-se perdido, decidiu confessar tudo.

— Fui eu — disse. — O casal de estrangeiros não tem nada a ver com o roubo. Eles só me pagaram para os introduzir no palácio e desligar a luz, que o senhor diretor depois ligou. Mas falaram tanto em joias e riquezas que não resisti a fazer mão baixa na peça que me pareceu mais valiosa. Pelo menos é a maior. Tencionava derreter a prata e vendê-la ao quilo. Escondi-a no forno porque estava a ser difícil pirar-me. Decidi voltar cá noutro dia a buscá-la. Como costumavam chamar-me para fazer trabalhos de eletricista, não haviam de faltar oportunidades! Só não contei com este espertalhaço, que reparou que eu estava sujo de fuligem.

A desfaçatez com que fazia a confissão deixou toda a gente possessa de fúria!

E ele, com um sorrisinho superior, ainda acrescentou:

— A esta hora vocês julgam que sabem tudo mas enganam-se. Falta um pormenor. Talvez o mais interessante.

As últimas palavras foram abafadas por um ronco colossal: «CROÁ... CROÁ... CROÁ...»

O grupo correu imediatamente em busca do «rugidor». Desta vez iam descobrir quem era!

Capítulo **14**

O tritão

Não encontraram logo o caminho porque o ruído fazia eco e enchia os corredores, as salas, o próprio claustro, como se alguém gritasse em desespero das profundezas da terra. Andaram às voltas, percorreram o palácio de uma ponta à outra até que alguém gritou:

— Só falta a torre do relógio!

Jorge pegou no molho de chaves e correu para lá. Os outros foram atrás, empurrando-se e tropeçando tal era a pressa que tinham em esclarecer aquele fenómeno.

Quando a porta se abriu, recuaram em bloco transidos de pavor. Lá dentro estava um ser disforme, repelente!

Na penumbra só lhe viam o contorno e as pernas cobertas de escamas. Dava murros no seu próprio peito e ia soltando uivos e roncos:

«CROÁ! CROÁ! CROÁ!»

— Um tritão! — exclamaram em coro.

Mas no momento seguinte a ilusão desfez--se. Aquela massa viscosa ergueu-se, avançou para eles e puderam ver diante de si o Sr. Ra-

poso mascarado de tritão! A caraça tinha caído de modo que a figura passara de assustadora a grotesca! Do pescoço para cima, um homem velho, atrapalhadíssimo, passado de vergonha. Do pescoço para baixo um fato ridículo, com pelos e escamas de borracha brilhante. E era o próprio fato que gritava, pois os uivos saíam--lhe do peito.

O diretor, pálido e constrangido, não sabia o que dizer.

— O Sr. Raposo! Mas o que foi isto? Resolveu mascarar-se?

O homem, incapaz de responder, dava puxões tentando desligar o maldito leitor de cassetes que trazia ao peito. Mas o botão encravara e portanto continuava a emitir roncos desumanos contra a sua vontade.

A cena não podia ser mais cómica! Rapazes, raparigas, estrangeiros, polícias, largou tudo à gargalhada. Se estivesse alguém lá fora havia de estranhar o concerto que se desenrolava no claustro.

— Ah! Ah! Ah!

— CROÁ! CROÁ! CROÁ!

— Ah! Ah! Ah!

O motorista e um agente que tinham ficado na carrinha apareceram esbaforidos.

— O que foi?

— O que foi?

Quanto mais eles perguntavam mais os outros riam.

Finalmente o eletricista apiedou-se do pobre Sr. Raposo e desligou a engenhoca que lhe tinha preparado. Fez-se silêncio. A tempestade fora-se, deixando atrás de si apenas uma neblina ténue e a lua cheia que brilhava, derramando magia pelas cúpulas do Palácio da Pena. No claustro, algumas pessoas que horas antes nem se conheciam, faziam agora parte do mesmo grupo e aguardavam sem saber o quê. Solenemente, o velho tomou a palavra:

— Vesti-me de tritão para assustar o Jorge — explicou. A sua voz soava muito triste, dorida: — Quando me reformei e tive que ir embora do palácio quase morri de desgosto. Eu nasci no parque, passei a minha vida na serra de Sintra, nunca trabalhei senão nesta casa. É a minha casa.

Ninguém se atreveu a interrompê-lo. Tanto amor, tanto desgosto, impunham respeito.

— As leis não são justas porque tratam toda a gente da mesma maneira e as pessoas são todas diferentes — acabrunhado, respirou fundo antes de desenvolver o seu pensamento. — Quando se atinge uma certa idade, arrancam-nos à força do trabalho e isso não é justo. Muitos deviam reformar-se mais novos porque estão fracos e já não aguentam mais. Outros, como eu, deviam continuar no seu posto. Tenho esta idade mas não sou velho. Podia perfeitamente fazer o que sempre fiz.

Jorge estava consternado! Não queria ofender o velho guarda mas aquilo era de mais. Ele não tinha culpa se as leis eram como eram. Precisava de emprego, portanto, aproveitou a vaga! Não merecia que por isso troçassem dele.

— O senhor preparou esta... esta confusão toda para me assustar a mim?

— É verdade — disse o Sr. Raposo, bastante mais sereno. — Inventei a história dos fantasmas, dos ruídos, dos tritões para te assustar. A ti e a todos os que quisessem vir ocupar a minha casa. Se ninguém aceitasse este lugar o diretor não tinha outro remédio senão chamar-me.

As gémeas sorriram, comovidas. Coitado do velhote! E o diretor, poderia fazer alguma coisa por ele? Talvez se tivesse tempo para pensar numa boa resposta conseguisse resolver o problema da melhor maneira. Desejosas de ajudar, foram dizendo:

— O Sr. Raposo tem muito jeito para contar histórias. Sabe que nos fez acreditar no sobrenatural?

— Pois! Viemos à procura dos seus fantasmas. Despertou-nos a curiosidade.

— Olhe que nem toda a gente é capaz de despertar a curiosidade da gente nova...

O velho guarda olhou-as com ternura. Naquela situação ridícula, a última coisa que esperava era ouvir elogios!

— Eu percebi muito bem que vocês estavam em pulgas — disse. — Até tentei afastá-los. Garanti-lhes que os ruídos só se ouviam ao anoitecer.

Chico meteu-se na conversa:

— Oh! Mas nós somos teimosos!

— Pois são! Quando vos encontrei na sala de jantar fiquei para morrer. Quis mandá-los embora e fui bastante malcriado. Não me guardem rancor, está bem? É que tive medo de que me estragassem os planos. Estava tudo combinado com o Macário para esta noite, por ser sexta-feira 13...

— Nesse caso — perguntou o chefe da polí-cia —, o senhor é cúmplice no roubo da caravela?

Indignadíssimo, o homem recuou dois passos e gaguejou:

— Roubo da caravela? Eu?

Não foi preciso defender-se porque o próprio Macário interveio:

— Alto aí! — disse. — Eu ajudei o Raposo a gravar a cassete com os ruídos para assustar o Jorge. Ajudei os estrangeiros a ficarem cá dentro para procurarem o tesouro. Agora quanto ao roubo, fi-lo sozinho. Não tenho cúmplices.

O olhar que Magda lhe deitou não passou despercebido a nenhum dos outros. Aquele rapaz era ladrão mas não era mentiroso!

«Toda a gente tem qualidades e defeitos!», pensou o Pedro com um meio sorriso.

A noite acabou de forma mais ou menos brusca porque o diretor resolveu fintar a polícia:

— Podem levar o Macário e os estrangeiros. Eles que prestem declarações, que se defendam como puderem quando chegar a hora do julgamento. Espero que tenham um julgamento justo.

— E os outros? O velho, os rapazes e as raparigas que assaltaram o palácio, ficam impunes? Isto é um monumento nacional!

— Pois é. E eu sou o diretor. Já percebi que não fizeram nada para além de uma série de patetices sem consequências, por isso não apresento queixa contra eles.

— Muito bem. Mas não saímos daqui sem averiguar se falta alguma coisa além da caravela.

— À vontade. E como não conhecem o recheio do palácio, o Jorge acompanha-os.

Enquanto aguardavam o resultado da «última ronda», ficaram ali a conversar. Vendo que o Sr. Raposo continuava embaraçado dentro da sua estranha fatiota, o diretor resolveu brincar com ele:

— Há de dizer-me onde é que arranjou esse fato incrível!

O homem sorriu pela primeira vez:

— Tenho feito uns biscates como guarda-noturno num guarda-roupa de teatro. A empregada do vestiário cá do palácio até sabe. No dia da festa quase se referiu ao assunto. Cortei-lhe a palavra porque tive medo de que me denunciasse. Se corresse a notícia que eu trabalhava num guarda-roupa de teatro, quando aparecesse o Tritão toda a gente ia desconfiar de que era uma máscara.

— Bom, então a partir de agora, em vez de fazer biscates como guarda-noturno, passa a fazê-lo aqui. Quer?

— Aqui? No Palácio da Pena?

— Sim. Aos fins de semana e no verão, como sabe, temos muita gente. Se vier ajudar ficamos-lhe gratíssimos.

A expressão do velho abriu-se num sorriso de grande alegria:

— Só espero que o Jorge não me queira mal.

— Fique descansado que já esqueci tudo — respondeu ele do topo da escada. Agora temos outro problema.

— Falta mais alguma coisa?

— Falta. Mas não percebo.

— Não percebes o quê?

— Desapareceram as queijadas e os bombons de gesso.

As gémeas coraram até à raiz dos cabelos.

Por instantes, hesitaram. Valeria a pena dizer a verdade?

Felizmente o diretor achou que não:

— Ora! Isso não tem importância. Desapareceu o pequeno-almoço da rainha? Pois é um mistério que fica por desvendar!

O que é real
nesta aventura

Já conhecíamos o Palácio da Pena, mas para escrever sobre ele foi necessário ir lá várias vezes, estudar um pouco a história e as lendas que o envolvem.

O Palácio da Pena foi mandado construir pelo rei D. Fernando, marido da rainha Dona Maria II, em 1839, sobre as ruínas de um antigo mosteiro dedicado a Nossa Senhora da Pena.

O arquiteto era de origem alemã, chamava-se Eschweg e tinha o título de barão. Ao que parece, previu nas paredes um esconderijo para as joias da coroa, esconderijo esse que ainda ninguém encontrou.

A família real passava ali férias e todos gostavam muito de lá estar. No entanto, quem mais apreciou as estadas na Pena foi a última rainha de Portugal, a rainha Dona Amélia.

A história que inventámos decorre em salas e quartos que estão abertos ao público. Os visitantes podem admirar sempre que quiserem a sala de jantar muito bem decorada com um centro de mesa em forma de caravela feito de prata, ouro, esmalte, lápis-lazuli e ágata. O claustro, o ateliê de pintura do rei D. Carlos, o seu quarto e respectiva casa de banho muito original. No piso de cima há uma capela, sacristia, salão de baile, muitas salas e salinhas, o quarto da rainha Dona Amélia e o do seu filho D. Manuel. Uma escada de caracol conduz à famosa sala dos veados, que é redonda e tem uma coluna em forma de tronco de árvore que liga o chão ao teto.

Todas as divisões estão decoradas como se ainda lá vivesse gente. Na sala de jantar a mesa foi posta a rigor com loiças, talheres e vidros muito bonitos. No quarto da rainha há um «pequeno-almoço pronto a servir». As queijadas e biscoitos geralmente são verdadeiros, quanto aos chocolates foram encomendados em gesso pois quando eram reais os turistas comiam-nos. Na cozinha o cenário não pode ser mais completo! Panelas, tachos, formas de bolos, alguidares, cestos, muita fruta e muitos legumes, esses em plástico para não apodrecerem.

O pessoal é simpático, gosta de trabalhar ali e mostraram-nos tudo com a melhor boa vontade, mesmo as divisões que não estão abertas ao público. Achámos graça às escadinhas que não vão dar a lado nenhum, porque quando fizeram obras para o palácio ficar mais funcional taparam-se algumas portas e passagens.

Na fachada há um elemento decorativo relacionado com lendas daquela zona. É um tritão, um homem marinho, com o corpo coberto de escamas e uma cabeça enorme. Tem a boca aberta como se gritasse. No século XVI, escritores tão importantes como o famoso Damião de Góis ainda garantiam que nas praias junto da serra de Sintra apareciam sereias e tritões.

Tradições ligadas a fantasmas parece que não há. Mas um velho guarda que já está reformado continua a afirmar que no seu tempo ouvia ruídos estranhos por baixo da casa de jantar. No fundo é natural que ouvisse mesmo, pois o palácio é antigo, as madeiras rangem e nas noites de ventania os vidros dançam nos caixilhos e abanam com tanta força que se chegam a partir!

Escreve às autoras de Uma Aventura

• Qual a tua opinião sobre este livro?

• E sobre as ilustrações?

As opiniões e sugestões podem
ser enviadas para:

fantastico@caminho.leya.com
umaaventura@leya.com